W9-BTD-493

María Félix

Grandes Mexicanos Ilustres

María Félix

Helena R. Olmo

DASTIN, S.L.

© DASTIN, S.L.
Polígono Industrial Európolis, calle M, 9
28230 Las Rozas - Madrid (España)
Tel: + (34) 916 375 254
Fax: + (34) 916 361 256
e-mail: info@dastin.es
www.dastin.es

Edición Especial para:
EDICIONES Y DISTRIBUCIONES
PROMO LIBRO, S.A. DE C.V.

I.S.B.N.: 84-492-0322-8
Depósito legal: M-15.905-2003
Coordinación de la colección: Raquel Gómez

Impreso en España - Printed in Spain

María Félix es una mujer de jade,
preciosa y eterna,
como nuestras diosas de Teotihucan.

Emilio Fernández

Una vida dedicada al cine y a los hombres

Capítulo Primero

— El nacimiento de una *vamp* —

México se agitaba bajo la convulsión de su Revolución cuando los cómplices designios de los viejos dioses mitológicos Venus y Marte se aliaron para auspiciar la llegada al mundo de los mortales de una de las vampiresas latinas más despiadadas y arrogantes de mediados del siglo XX. La dulce criatura recién nacida, se transformaría, con el paso de los años, en una espléndida mujer, considerada una de las bellezas más deslumbrantes de todos los tiempos y heredera directa de Theda Bara, la fundadora del movimiento de las *femmes fatales* en 1915 con el célebre filme de Frank Powell *A fool there was*. La protagonista de nuestra historia bordó el papel mítico que sus olímpicos padrinos le habían asignado y desempeñó siempre el personaje, tanto en la pantalla como fuera de ella, de una espléndida hembra de apariencia distante e inaccesible, elegante y con un gusto ilimitado e insaciable por el lujo ostentoso y por cuanto los hombres podían aportar a su inagotable sed de dominante y gozosa existencia.

El escenario de tan significativo alumbramiento fue Los Álamos, una pequeña ciudad situada en el corazón del desierto del estado mexicano de Sonora. La feliz madre se llamaba Josefina Güereña, hija de españoles y educada bajo los principios más católicos de un convento situado en Pico Heights (California); era tan férrea de carácter como el que le procuraba la combinación de talante militar y la sangre indígena de su marido, Bernardo Félix, aunque dulcificada y extasiada, tal vez agotada, por dieciséis partos, de cuyos nacimientos sobrevivieron once criaturas. De entre todos sus alumbramientos, Josefina sabía que uno de ellos llevaba aparejado la profecía de magnos acontencimientos y grandes milagros, concretamente el que se produjo el 8 de abril de 1914, fecha inscrita entre las de las grandes efemérides como la del día en que nació su hija María de los Ángeles.

Cuando la pequeña María de los Ángeles contaba solamente tres años de edad, su familia cambió de residencia y se trasladó a vivir a la ciudad de Guadalajara, capital del estado de Jalisco. La inestabilidad e incertidumbres de las repercusiones consecuentes al éxito de las fuerzas revolucionarias amenazaban el bienestar del clan Félix en Los Álamos, y don Bernardo no pudo negarse a aceptar la propuesta de su amigo el general Obregón cuando le ofreció el importante cargo de director de la Oficina Federal de Hacienda. En ese nuevo contexto, María cursó sus estudios en una escuela confesional y vivió la adolescencia normal, aburrida y tópica de una pueblerina que esperaba ansiosa los periodos vacacionales, cuando los Félix volvían a su ciudad natal para que sus numerosos vástagos pudieran visitar el rancho de Quiriego, la residencia de los abuelos maternos. María adoraba volver allí. En aquel ámbito, para ella paradisíaco y liberador, podía ignorar los aburridos juegos típicamente femeninos de sus hermanas Josefina, María de la Paz, María de las Mercedes, Victoria Eugenia y María del Sacramento, para sustituirlos por diversiones más excitantes y acordes con su talante, como subirse a los árboles con sus cosanguíneos varones: Pablo, Bernardo, Fernando, Ricardo y Benjamín, con los que se encontraba mucho más identificada, adelantando en el tiempo su marcada preferencia por las compañías masculinas que tanta influencia tendrían en su vida de adulta.

Era con su hermano Pablo, a quien todos llamaban «el Gato», con quien tenía mayor afinidad; siempre procuraba buscarle y no se separaba un instante de él. Pasaban tantas horas cabalgando juntos, compartiendo el lomo de la misma montura y con María sofocada de placer por el estrecho contacto de galopar, fuertemente abrazada a su fraternal jinete, que su madre intuyó la más que posible realidad y la vergüenza de un presentido y potencialmente trágico incesto. Alarmada por lo que ya no parecían los juegos cándidos e infantiles de dos hermanos que se quieren y se entienden, doña Josefina utilizó sutilmente las más hábiles tretas para convencer a su severo esposo, don Benjamín, de lo aconsejable que sería enviar a su hijo Pablo a seguir sus propios pasos en una escuela militar, sin descubrirle en ningún momento sus más íntimas sospechas y conseguir evitar así su costumbre de ensañarse azotando con el cinto al hijo que se hubiese hecho acreedor de un castigo, un motivo que con frecuencia le llevaba a perder el control por completo.

Así fue como María tuvo que hacer frente a su primera separación dolorosa. Sin embargo, su tristeza inicial por el distanciamiento de su adorado hermano no tuvo parangón con la incomparable y desgarradora quemazón espiritual que sintió cuatro meses después, cuando llegó el desgraciado e infausto comunicado de la muerte de su primer gran amor. El deceso estuvo envuelto en el mayor de los misterios y jamás fue completamente esclarecido. Mientras unos barajaban la hipótesis de un estado depresivo por el confinamiento castrense y el alejamiento de su familia, por lo que hablaban de suicidio con casi total seguridad, María estaba convencida de que a su hermano lo mataron por la espalda mientras realizaba unas prácticas de tiro, aunque es bien cierto que nunca pudo probarse la sospecha de la doliente, ya que tampoco se sabía de nadie con aparentes motivos como para cometer tan cobarde como brutal y absurdo asesinato.

Sumida en la pena y torturada por las dudas que acuchillaban su alma sobre las verdaderas causas de la muerte de su hermano Pablo, la joven María vio ensombrecerse la bella época de su adolescencia. En aquellos tiempos, y a pesar de su estado ensombrecido, ya mostraba el que a todas luces era un bellísimo rostro capaz de hechizar al mundo entero. Fue en ese momento cuando María recibió la única satisfacción que consiguió aliviarla y hacerle más soportable su profunda tristeza: los universitarios de La Perla de Occidente le pidieron que fuera su reina, era la oportunidad de estrenarse como mujer envuelta en dos tradicionales atributos fetichistas de seducción y elegancia, gloriosamente investida con las medias largas y los zapatos de tacón. Altiva, Su Majestad se paseó en carroza, segura de que no se convertiría en calabaza, y con una hermosa tiara coronando el cabello de su majestuosa cabeza, por toda la ciudad de Guadalajara. Todos cuantos la contemplaron en su glorioso desfile quedaron inmediatamente subyugados por su hermosura, por su carisma y porque inconsciente e intuitivamente se supieron testigos privilegiados de un presagio que les anunciaba el nacimiento de una diva predestinada a portar merecidamente coronas de mayor envergadura hasta convertirse en leyenda. De nada sirvieron las puniciones y venganzas de las que fue objeto durante toda su infancia por culpa de sus envidiosas hermanas, inútil el fervor de muchachos como Rosendo Ibarra o Rafael Corcuera por cortejarla durante el rito dominical de la misa con miradas lánguidas y tímidas, y torpes cartas escritas con arrebatado amor adolescente, porque nada ni nadie podía evitar que María se encontrara con un destino estelar en el firmamento de las mujeres que han hecho historia.

Capítulo II

— Su primer matrimonio —

Contaba tan sólo diecinueve años de edad, cuando María confundió su ansia de escapar del yugo de su inflexible y sobreprotector progenitor con el amor, y tomó la decisión de contraer matrimonio con Enrique Álvarez, un apuesto vendedor de cosméticos y maquillajes de la firma Max Factor, al que conoció en un baile de disfraces. Pero nunca imaginó que, con su inmadura e irreflexiva elección, salía de un correccional para ingresar en una prisión de rejas más sólidas y umbral más infranqueable. Su nuevo estado le asfixiaba y la precipitada unión terminó pronto en divorcio por culpa de los enfermizos y obsesivos celos de su inseguro marido. La inexperta esposa se lamentaba porque Enrique Álvarez apenas la sacaba de casa por miedo a que la piropearan, e incluso cuando iban al cine llegaban tarde a propósito y abandonaban la sala antes de que concluyera la película para que nadie la viera y su belleza no despertara pasiones ocultas en otros hombres.

María no podía soportar que su pareja gozara de la libertad de viajar, amparado por su trabajo, y que a ella le impusiera la tortura del ostracismo y el encierro más humillante. La situación se agravó cuando descubrió que Enrique, además, le era infiel, permitiéndose a sí mismo llevar a cabo aquello que temía que los demás desearan de su atractiva y sensual esposa. Decidió vengarse de la doble humillación y así fue como conoció el amor verdadero en la persona de Francisco Vázquez Cuéllar, un prometedor estudiante de Derecho que vivía frente a su casa. Con él aprendió a gozar de la complicidad y de los inagotables placeres del sexo sin temor, pero, lo más importante, su amante también le transmitió e inculcó el coraje que le faltaba para terminar, de una vez por todas, con la tiranía de su marido. Sin embargo, del tálamo matrimonial de aquella pesadilla, la joven María obtuvo el primer y, seguramente, mayor éxito de su vida: su único hijo, al que bautizó con el nombre de Enrique a los pocos días de su nacimiento, el 6 de abril de 1934.

Escarmentada e incapaz de volver a la patética sumisión familiar, la futura actriz decidió ignorar la propuesta de su amante y pretendiente para formalizar su relación, así como el auténtico diluvio de ofertas matrimoniales que la abrumaban incesantemente. Años después declararía cuán fácil y cómodo hubiera sido elegir, entre los múltiples candidatos, un cónyuge rico y tolerante que le hubiera comprado las medias, pero entonces su propio instinto ya le mostraba otros caminos y, en 1934, decidió irse a la ciudad de México para vivir como la mujer independiente que llevaba en su espíritu, disfrutando de su soledad como un verdadero bálsamo para las heridas producidas por su propia historia.

En la gran capital, María Félix trabajó como recepcionista en un consultorio de cirugía plástica y fue feliz. Ganaba dinero y era admirada por una clientela compuesta de multitud de señoras, ante quienes el doctor del Río la exhibía asegurando que tanta belleza y perfección habían sido esculpidas en el quirófano por sus pretendidamente hábiles y expertas manos. Pero desgraciadamente la recién estrenada dicha no tardó en quebrarse, ya que su ex marido raptó al hijo de ambos, el pequeño Enrique. María quedó desolada y completamente desamparada porque no tenía recursos para recuperar a su hijo, que estaba oculto a 35 kilómetros de Guadalajara, cerca del lago Chapala, en un pueblo que se llama Ajijic y sometido a la custodia carcelaria de una criada que tenía órdenes estrictas de no permitir que su madre se acercara a él, labor que desempeñaba con la convicción iluminada y la eficacia de un femenino cancerbero.

«Que me despojaran de Quique fue como una aguijón que llevé clavado en el orgullo», declararía siempre que tenía ocasión. Sin embargo, poco tiempo después, un encuentro fortuito le cambiaría completamente la vida. Una vida marcada por los hados del éxito, con el contrapunto de momentos de intenso dolor como facturas ineludibles.

CAPÍTULO III

— UNA CITA CON EL DESTINO —

«¿Ya usted no le gustaría hacer cine?», con estas palabras la abordó el realizador Fernando Palacios una tarde que paseaba por la calle de la Palma. Adivinando las increíbles posibilidades de su rostro y del carácter que emanaba, el cineasta estaba decidido a exhibirla en la gran pantalla. María pensó que aquel individuo sólo quería aprovecharse sexualmente de ella y le contestó: «El día que entre en el cine lo haré por la puerta grande», a lo que él añadió: «No sé quién será usted, pero con el porte que tiene puede entrar por donde mejor le parezca.» Dicho y hecho. María no tardó en dejarse convencer para hacer una prueba. No tenía nada que perder, como mínimo representaba un reto a la medida de su autoestima y respondía a sus secretos sueños de una grandeza que estaba segura de merecer por derecho propio, así que decidió intentarlo. Pronto descubrió que había encontrado la horma de su zapato de cristal que haría realidad sus afanes, y de aquel primer tanteo pasó directamente a protagonizar *El Peñón de las Ánimas*, junto al consolidado y popular Jorge Negrete. Nada más y nada menos que «el charro cantor», no tan conocido por su versatilidad como actor como por ser el mejor intérprete de rancheras y charros en el cine, por no mencionar que pasó inadvertido como cantante de ópera o zarzuela, y no porque le faltara talento. Para completar la breve semblanza del mundialmente famoso y seductor Jorge Negrete, no podemos dejar de recordar una conocida y doblemente machista anécdota que protagonizó junto a Miguel Primo de Rivera, hermano del fundador de Falange Española; sucedió que al descender por la escalerilla del avión en el que había cruzado el océano, la multitud de mujeres que adoraban su imagen en la pantalla, su voz en la radio y sus canciones en los discos, se precipitó a arrancar cualquier fragmento de la ropa de su ídolo, como dignas abuelas y precursoras de las *fans* posteriores. Ante tal avalancha, Negrete, espantado por el riesgo de su ropa interior e imprudentemente en un país de «puros machos», exclamó: «¿Es que en España no hay hombres?» La respuesta se la dio fulminante Primo de Rivera, que formaba parte del comité oficial de bienvenida, en forma de una sonora y nada protocolaria bofetada que desde entonces acompaña a la de la película *Gilda* en la historia del cine y sus aledaños.

Volviendo a nuestra heroína, junto a Jorge Negrete y bajo la dirección de Miguel Zacarías, María Félix interpretó el drama de la compungida y atormentada María Ángela Valdivia y su amado Fernando Iturriaga, una relación terciada por truculentas venganzas familiares. Zacarías no olvidará mientras viva lo que para él supuso el debut de una principiante arrogante y con aires de grandeza. Aquella fiera sonorense le ganó todas las batallas. En primer lugar consiguió un contrato por cinco mil pesos de aquella época, una cifra más propia de las estrellas ya consolidadas; además no consintió en cambiarse el nombre por un seudónimo artístico más melódico y comercial según el criterio del director, y rechazó el vestuario porque era de percal, tirándoselo a la cara al sufrido cineasta y exigiendo seda y encajes como el envoltorio apropiado para su excelso cuerpo. Miguel Zacarías hizo lo imposible para terminar con tanta arrogancia, pero todos sus intentos fueron vanos. Tres días antes del rodaje se dirigió a la casa de la terca señorita para tratar de imponerle sus condiciones. Una de las cosas que le advirtió fue que una actriz debía arrodillarse ante su director, a lo que María contestó: «Primero muerta que arrodillada», y sin más comentarios le echó de su casa.

La perspectiva del tiempo convierte todo en anecdótico y lo reviste de un cierto encanto. De hecho, al final de su carrera, Zacarías recordaría aquellos episodios con humor y con cariño. Como cuando «antes de filmar *El Peñón de las Ánimas* tuve que enseñarle todos los trucos para que fuera una estrella. Invertimos tres meses en su preparación. Primero la llevé a ver películas y le pregunté como qué actriz quería ser. *"Ninguna"*, contestó ella. Eso me encantó. Luego la invité a la ópera y se la expliqué y, además, traté de que se encariñara con los conciertos. Le enseñé a trabajar la memoria, le recalqué que era lo más importante, que sin memoria uno es un muerto. Le dicté trabalenguas para que se los aprendiera y corrigiera su tartamudez y la enseñé a respirar para poder recitar correctamente un texto largo». Todos aquellos recuerdos inspiraron al sufrido director este soneto:

Celestial y satánica hermosura.
Circe y hada a la vez, Ángel y Bruja.
En tus ojos a la luz de un sol que embruja
Y amalgama crueldad con la ternura.

Misteriosa hechicera, blanda y dura,
Es tu beso dulzor de hiriente aguja
Que de gozo y dolor el alma estruja
Y quemante tu amor de mordedura.

Como Ulises, al mástil del orgullo
Amarrado esquivando el falso arrullo
De tu encanto tenaz, suave y felino,

Voy huyendo de ti porque adivino
Tu intención de volverme siervo tuyo,
¡Vengadora del sexo femenino...!

En su primera película, María Félix sólo encontró en su principal compañero de reparto el aplacamiento que otros no supieron imponerle. «Jorge Negrete se obstinó en hacerme la vida pesada. Me odiaba, me aborrecía, me veía como una recién llegada llena de vanidades... Fueron unas semanas terribles, terribles, terribles...», recordaría María. Negrete no podía creer que no le hubieran dado el papel de María Ángela Valdivia a la que entonces era su compañera sentimental, Gloria Marín, por culpa de una advenediza desconocida con el único mérito de su atractivo físico y que tartamudeaba cuando le daba la réplica.

— Hablando a lo macho: no pienso servir de escalón a muchachas inexpertas que quieren hacer carrera en el cine a mi amparo —decía el charro.

— Hablando a lo hembra —espetaba ella—: admiro que usted es muy bueno como cantante pero como actor es malísimo.

Resentido, el charro la zarandeaba cuando se equivocaba en los diálogos y llegó a preguntarle: «¿Con quién se acostó usted para que le dieran el papel estelar?», a lo que ella respondió: «Usted tiene más tiempo en este negocio, así que debe saber bien con quién hay que acostarse para ser estrella.»

Negrete parecía haber olvidado el primer encuentro que tuvo con María Félix. Él estaba rodando *Caminos de ayer* en Guadalajara y una María recién casada se acercó al parque Revolución para ver a los actores trabajando en las escenas de exteriores. Cuando terminó una escena en la que Negrete besaba a su compañera Carmen Hermosillo, se aproximó a María y con aire arrogante y seductor le preguntó si a ella no le gustaría hacer películas. «No me dirija la palabra, que soy casada», contestó ella, a lo que él dijo: «No le hace, no soy celoso.» «Yo no quiero trabajar en el cine y menos si hay tipos tan majaderos como usted», sentenció la bella sonorense sin inmutarse ante la afamada estrella.

A pesar de que la crítica no quedó plenamente convencida con la actuación de María de los Ángeles en su primer filme —la acusaron de timidez y de falta de técnica—, la mayoría de los periodistas se quedaron prendados de su natural belleza. Lejos de desalentarse por estos comentarios tan desfavorables, María se sometió a una férrea disciplina para aprender el oficio de actriz y conseguir el objetivo de convertirse en la mejor de todas. El voluntarioso empeño no iba a ser fácil, ya que sus antecesoras, Medea de Novara, Esther Fernández, Carmen Guerrero o Andrea Palma ya habían acaparado toda la atención y devoción popular, con su enorme proyección y notoriedad, pero María Félix tenía una personalidad y un carisma tan arrolladores que eran capaces de romper todos los moldes estereotipados y crear otros a su medida y a la de sus ambiciones. En un cortísimo espacio de tiempo la actriz consiguió sus propósitos, y a partir de entonces se desató una torrencial reacción en cadena que la mantuvo rodando películas ininterrumpidamente durante casi treinta años, con el resultado de un total de cuarenta y siete trabajos realizados entre su país natal, México y otros, como Italia, Francia, Argentina y España, que cayeron subyugados en las tupidas redes de la seducción que emanaba desde la pantalla.

Capítulo IV

— Los rusos llegan a México —

Conviene recordar que estamos en plena «edad de oro» del cine mexicano, sin olvidar, en consecuencia que, en esos años, los cineastas aztecas experimentaron con géneros nuevos, inspirándose en obras literarias, comedias rancheras, películas policíacas, comedias musicales y melodramas.

En esta inquieta y creativa década de la historia de su cine nacional, la Segunda Guerra Mundial tuvo una importancia capital y paradójicamente impulsó la industria del celuloide mexicano hasta cotas realmente imprevisibles. Este estímulo fue debido a que las frecuentes relaciones internacionales favorecieron de forma muy considerable el desarrollo del séptimo arte. La postura del Gobierno mexicano ante el conflicto fue fundamental para este espectacular crecimiento tras el ataque que en 1942 acometieron submarinos alemanes contra barcos petroleros mexicanos; el presidente Manuel Ávila Camacho declaró la guerra a las potencias del Eje (Alemania, Italia y Japón), situando a México en el bando de los Aliados. Insospechadamente esta medida significó una gran ayuda indirecta para la industria cinematográfica, ya que dio alas a un cine que estaba al borde de la extinción, más por la falta de recursos económicos entre la población que por la facilidad que hasta entonces había tenido la industria mexicana para abastecerse de película virgen y encontrar dinero dispuesto para realizar producciones en cantidad y calidad significativas. Si a esto unimos que la situación bélica disminuyó la competencia de nuevos proyectos en el séptimo arte en el extranjero y prácticamente aniquiló la cinematografía de países como España y Argentina, sus más directos rivales, no es extraño que surgiera una nueva generación de directores, como Emilio Fernández, Julio Bracho, Roberto Gavaldón e Ismael Rodríguez, entre otros, y muy especialmente las continuas colaboraciones entre Emilio Fernández, el fotógrafo Gabriel Figueroa y el guionista Mauricio Magdaleno, que comenzaron en 1943 durante la filmación de *Flor Silvestre*. En los años 40 este terceto emuló el trabajo realizado en la década de los 30 por el trío ruso formado por el notable director Sergej Eisenstein, el fotógrafo Edvard Tissé y el ayudante de dirección Grigor Alexandrov; los tres viajaron a México para filmar una película histórica llamada a convertirse en un extenso mural sobre el país, bajo el título *¡Que viva México!*

El comienzo de la aventura mexicana de los soviéticos es digna de una mención pormenorizada. Comienza el 5 de diciembre de 1930, cuando llegaron a la ciudad de México desde California; allí les esperaba una desagradable acogida, porque las autoridades nacionales irrumpieron en su hotel y les detuvieron por misteriosas razones que nunca fueron esclarecidas. Veinticuatro horas más tarde fueron liberados y el presidente Pascual Ortiz Rubio les ofreció una fiesta de bienvenida excusándose por el malentendido.

El objetivo de Eisenstein era aprender las técnicas del cine sonoro que dos años atrás habían revolucionado los estudios de Hollywood y fue en México donde hizo su primer experimento en este sentido. Entusiasmados, Eisenstein, Tissé y Alexandrov grabaron decenas de millares de metros de película antes de volver a Moscú. Los rusos estaban fascinados con las luces y los colores de México; un mundo nuevo y diferente se abrió a sus ojos, descubrieron un universo primitivo que había permanecido ignorado por gran parte de los norteamericanos y por el resto del mundo, y ellos quisieron difundir su folclore, la violencia aguerrida de sus machos, las sinuosas e insinuantes formas de sus mujeres y su lucha por la Revolución.

Desafortunadamente, *¡Que viva México!* nunca llegó a finalizarse por falta de recursos económicos; los norteamericanos que financiaban el proyecto retiraron su apoyo y se quedaron con todo el material filmado, que contaba con tres elementos característicos sobresalientes: los bellos paisajes, las nubes fotogénicas y la exaltación del indígena. En marzo de 1932 los soviéticos abandonaron el país azteca. Eisenstein regresó a Moscú y sólo pudo ver el resultado de su trabajo años después, cuando sus imágenes conformaron varios filmes que se realizaron a partir de ellas.

Por entonces, el fotógrafo Gabriel Figueroa se ganaba la vida retratando a las estrellas del cine local. Inspirado en el maestro Edvard Tissé, a partir de 1933 comenzó un importantísimo trabajo que redefinió la fotografía escénica de su país y que, sumado al excepcional evento fotogénico que supuso la Revolución mexicana para el cine, definió la estética que marcaría toda la filmografía posterior. La labor conjunta entre Figueroa y los grandes cineastas del momento constituyó lo que se vino a denominar la «época de oro» del cine mexicano, cuando la producción nacional encabezaba la cinematografía de lengua hispana.

Pero si el *Indio* Fernández fue la mente y Figueroa los ojos, sus actores fueron los rostros más amados de la historia del cine nacional. Un auténtico cuadro de estrellas lucía deslumbrante en las salas abarrotadas de público enfervorizado: Mario Moreno *Cantinflas*, Pedro Armendáriz, Andrea Palma, Jorge Negrete, Sara García, Fernando y Andrés Soler, Joaquín Pardavé, Arturo de Córdova, Dolores del Río, Columba Domínguez o la incipiente apisonadora, María Félix, quien en tan sólo dos años de trabajo irrumpirá en el firmamento estelar mexicano para convertirse en la actriz de carrera más fulgurante y en la más cotizada del país.

Inmediatamente después de rodar *El Peñón de las Ánimas*, María Félix fue reclamada por Felipe Gregorio Castillo para que interviniera en un nuevo drama romántico, titulado *María Eugenia*. La única relevancia que tuvo este anodino trabajo fue que María se las ingenió para mostrar su espléndida figura en bañador, a pesar de la escandalizada desaprobación de su director, ex jefe del Departamento de Censura del país, quien, sin embargo, no vio indigno casar a su personaje con el hombre que previamente la había violado.

Capítulo V

— Interpretándose a sí misma —

En 1943 se sucedieron un par de películas poco relevantes y que María definió sin pudor alguno como «errores de principiante». En *La mujer sin alma*, basada en una novela del mismo título escrita por Alphonse Daudet, ya se presenta a los espectadores como una hábil manipuladora que juega sin escrúpulos con todos los hombres que se cruzan en su camino, con el único y materialista objetivo de salir de la miseria en que se encuentra. A partir de entonces cobró fuerza en ella el arquetipo de mujer perversa, de fascinante belleza, fría, cruel y calculadora. María se encargó de puntualizar el espíritu que emergía de estos papeles para acallar las malas lenguas que surgían en oposición a las halagüeñas: «Mucha gente confunde a las mujeres sin alma con las prostitutas. No son lo mismo. Una mujer sin alma, como la que yo interpretaba, es atractiva, talentosa, triunfadora y se divierte mucho en la vida. Las prostitutas, en cambio, son crueles consigo mismas. Una mujer sin alma no se debe enamorar. Las prostitutas flaquean con el macho y son capaces de todo con tal de echarse a perder la existencia. Por lo general llevan una vida miserable, aunque sea con lujos.»

Después, su participación en *La china poblana* fue, según sus propias palabras, una «deuda de gratitud con Fernando Palacios». Para su mecenas era el segundo título que iba a dirigir tras el rotundo fracaso de *Hambre*, rodado en 1938, un pretendido y malogrado melodrama socialista, impuesto para las salas de cine por el

Gobierno y sospechosamente recomendado por el arzobispo de México. Si Palacios fue capaz de desvirtuar hasta lo irreconocible la idea de concluir con la lucha de clases en su primer trabajo, ¿qué no sería capaz de hacer con María Félix? ¿Convertirla en china? Desde luego no lo consiguió, pero estuvo convencido de que era un reto posible. «Yo estaba muy preocupada —declaró María— porque me parecía que hacer de china no iba con mi rostro ni con mi tipo. Las chinas, pensaba yo, eran más pequeñas y más tímidas. Pero todos me decían que yo haría una china muy especial, que prácticamente no era china, sino nacida en Mongolia... y, sinceramente, esto me parecía aún peor.»

A pesar de todos sus reparos, su descubridor soñaba con dirigirla y ella quiso corresponderle. Palacios la transformó en una princesa oriental a la que capturaban unos piratas para venderla en América. Allí la compraba un hombre piadoso que terminaría por convertirla al cristianismo, reformándola en un modelo de virtud. A pesar del uso del color —por cierto, inconcebibles los mechones verdes de la china—, la película fue un rotundo fracaso y la Félix murió tranquila pensando que la cinta se había extraviado completamente y que nunca sería posible recuperarla para completar su filmografía.

Pero Fernando Palacios no se resignaba a creer que su máxima aportación al cine mexicano iba ser descubrir a la gran María Félix. Así que en 1944 probó suerte con *Cadetes de la naval*, una especie de comedia militar que, insospechadamente, culminaba en una gran tragedia patriótica, y cuyo resultado final fue tan deplorable e insalvable como el resto de sus películas.

Afortunadamente para ella y para la historia del cine, pocos meses después de terminar el rodaje de *La china poblana*, la actriz se encontraría con el personaje que legendariamente convirtió a María Félix en un mito viviente. Fue gracias a su papel en *Doña Bárbara*, una película basada en la novela homónima del ex vicepresidente venezolano Rómulo Gallegos, que recogía la historia de una belleza enamorada y de cómo cambia su vida después de que seis marineros se jugaran a los dados su virginidad y mataran a su verdadero amor antes de forzarla. Así nació la peculiar y autoritaria doña

Bárbara, una mujer que vestía pantalones de montar, siempre con una fusta en la mano, y que se mostraba dominadora, vengativa e implacable con los hombres.

Inicialmente, el papel protagonista le había sido asignado a Isabela Corona, pero el azar no iba a permitir que nadie le usurpara a María la identidad por la que sería conocida y reconocida por el gran público durante el resto de su vida. Todo comenzó cuando la productora Clasa Films organizó una comida en honor del novelista Rómulo Gallegos y alguien la invitó en el último momento. María llegó tarde, y cuando Gallegos la vio entrar en el salón, con su presencia recia, su fuerte personalidad y sus aires de mujer fatal exclamó en el acto: «¡Esa es la doña Bárbara que yo escribí!» El resto es historia. Nada importó que el Banco Cinematográfico retirara su financiación a petición de la despechada Isabela Corona, o que el director Fernando de Fuentes bajo ningún concepto tolerara que la actriz sonorense fuera la protagonista, en contra de la opinión de los productores y del propio autor de la novela y del guión, porque María se condujo a través de este melodrama rural con un porte, un gesto y un dominio impresionantes; tanto es así que a partir de entonces sería apodada popularmente como *La Doña*.

La Unión de Periodistas Cinematográficos Mexicanos eligió *Doña Bárbara* como la mejor película del año, sin embargo Esther Fernández se llevó el premio a la mejor actriz por *Santa*. María no sabía actuar como una Garbo o una Bernhardt, pero para su público, cegado por su lealtad apasionada, ya las eclipsaba a todas. Para entonces ya tenía una legión de admiradores que la seguían, la idolatraban y le escribían cartas, a los que vinieron a sumarse los venezolanos cuando *Doña Bárbara* llegó a Caracas. Éstos, satisfechos de cómo había ensalzado en la pantalla el máximo exponente de su literatura, quisieron adoptar a la protagonista, respondiendo a lo publicado en el *Cinema Reporter* del día 25 de septiembre de 1943, que decía: «Bien, muy bien para nosotros los mexicanos, ha sido captada la estupenda novela de Rómulo Gallegos. ¿Opinarán igual los venezolanos? De ocurrir así no tendremos empacho en declarar que *Doña Bárbara* es una de las mejores películas nacionales. Lo tiene todo: argumento, dirección, tecnicismo, interpretación. Fernando de Fuentes acertó más que nunca y nuestra industria fílmica puso cuanto ahora posee, que ya es mucho, para que el éxito de la cinta fuera completo. Y lo ha sido, señores, porque, además, María Félix luce bellísima y se mantiene discreta. María Elena Marqués está encantadora; los dos Soler (Julián y Andrés) viven, ésa es la palabra, sus respectivos papeles y Agustín Isunza, Charles Rooner y demás elementos del reparto contribuyen a hacer de *Doña Bárbara*, película, algo tan elevado como *Doña Bárbara*, novela. ¡Que ya es decir!»

Pero María Félix no salió impune de la representación de su personaje: la heroína dominante que desde su universo rural se enfrenta a la figura intelectual de Santos Luzardo, encarnado por Julián Soler, porque desde entonces la fama de tirana y «devoradora» de hombres la acompañará durante el resto de su vida, siempre haciendo repetidas renovaciones de votos, alardeando de ello y arrimándose a los galanes más cotizados del momento, dentro y fuera del celuloide.

Muchos críticos consideran que María fue más un personaje que una persona, por lo que siempre se interpretó a sí misma, una mujer romántica en los comienzos de su carrera —como en *María Eugenia* o en *Amok*— y, posteriormente, como una heroína tan fría como temperamental, desalmada y de fascinante hermosura —en *La mujer sin alma*, *La devoradora* o *Doña Diabla*—. En particular Paco Ignacio Taibo, crítico cinematográfico y uno de sus biógrafos (*La Doña*, 1991), aventuró la hipótesis de que guionistas y directores terminaron por escribirle historias de acuerdo a su subyugante personalidad, a su imagen idolatrada y a su arrebatadora forma de mirar.

Capítulo VI

— Intercambio de papeles —

La *monja alférez* y *Vértigo* fueron dos raras excepciones. Bajo las órdenes de Emilio Gómez Muriel, María Félix encarnó una versión de la emblemática doña Catalina Erauso, una dama española del siglo XVII que profesó en un monasterio de dominicas hasta que, con quince años, aburrida de la paz y tranquilidad conventual, escapó y logró llegar a Sanlúcar de Barrameda, desde donde embarcó hacia las Indias travestida en el soldado Alfonso Díaz Ramírez de Guzmán. En 1619 viajó a Chile formando parte de las tropas que intervinieron en la Guerra de Arauco, distinguiéndose por su valentía, lo que le valió el ascenso a alférez.

Ya con su nueva graduación, resultó herida en el pecho y su sexo se puso inevitablemente de manifiesto con sus generosas formas, por lo que no tuvo otra salida que descubrir su verdadera identidad. En Roma obtuvo el perdón del Papa Urbano VIII y con el nombre de Antonio de Erauso volvió a las Indias.

Algunos autores afirman que el físico de Catalina de Erauso le ayudó a ocultar su condición de mujer y la describen como de gran estatura, falta de hermosura y sin atributos femeninos. Pedro de la Valle asegura que «no tiene pechos porque desde muchacha me dijo haber hecho no sé qué remedio para secarlos y dejarla llana como le quedaron...».

Marco Aurelio Galindo, el escritor español exiliado Max Aub y Eduardo Ugarte realizaron una adaptación poco fidedigna del personaje histórico, pero con la interesante experiencia de ver a una María Félix vestida de hombre convertirse en el objeto de sus propios deseos sexuales. El historiador Emilio Riera supo matizar esta ambigüedad con las siguientes palabras: «La devoradora de hombres se convierte en el objeto de sus propios apetitos y, ante su transformación masculina, son las mujeres las dispuestas a ser devoradas. Así, la antropofagia amorosa priva sobre la definición del sexo...». Posteriormente, en 1986, el realizador español Javier Aguirre devolvería este histórico personaje a las pantallas gracias al largometraje también titulado *La monja alférez*, y con la actriz Esperanza Roy ocupando el lugar de María Félix.

Tampoco el papel que Antonio Momplet le ofreció en *Vértigo* estuvo pensado ni diseñado para ella. La obra estaba basada en una novela de Pierre Benoit titulada *Alberta* y el rol principal, que era de una cierta dificultad dramática, fue accidentalmente bordado por María Félix, pues originalmente estaba destinado para la gran Dolores del Río. Un guiño del destino quiso que las dos actrices más destacadas del momento intercambiaran sus proyectos.

El «error» de este intercambio se debió a que las productoras para las que ambas trabajaban se encontraban en el mismo edificio, y un día le entregaron a un mensajero dos guiones: el de *Vértigo*, que debía llevárselo a Dolores del Río, y el de *La selva de fuego*, que era para María Félix. El equívoco está claro y, para cuando los productores se dieron cuenta de ello, las actrices, ajenas al malentendido, ya habían leído sendos libretos, quedando encantadas con ellos y con los personajes que debían interpretar. Dolores del Río con su sonrisa luminosa, los pómulos acentuados, los ojos negros, su silueta esbelta y su andar ligero, se sentía cómoda tanto en el papel de india como en el de sofisticada dama, pero esta vez lo que le halagaba era tener que representar a una joven que se lucía con poca ropa, y a María Félix le gratificó ser considerada para un papel más complicado de lo habitual, donde su belleza se revelaba como la peor de las tragedias.

El cine mexicano había demostrado ser capaz de crear sus propias leyendas. María Félix llevaba seis años en la industria y ya había hecho dieciséis películas, todas ellas estelares. Sin embargo, nada comparado con lo que aún tenía que llegar. En 1946 topó con Emilio el *Indio* Fernández, el cineasta azteca más célebre del momento, quien la consolidaría como actriz de talla con *Enamorada*. Pretendieron estimularla con la idea de trabajar con el mejor director de la industria del cine nacional, a lo que ella contestó: «No me interesa el mejor director mexicano, me interesa la mejor paga.»

María trabajó su expresividad cómica y se vio protagonizando un melodrama lacrimógeno —aunque templado con notas de comedia—, con claras alusiones a la obra teatral de William Shakespeare *La fierecilla domada*. El argumento de la película estaba inspirado en una leyenda que sobrevive generación tras generación entre las gentes de Cholula, y según el propio realizador: «Es la historia verídica de un general mexicano que, aunque brusco y maleducado, era en el fondo un hombre de buenos propósitos y al cual hizo cambiar el inmenso amor que en él despertó la extraordinaria belleza de una mujer que vivió sus mejores años en los alrededores de Puebla.» En su versión, la protagonista es una joven y orgullosa aristócrata llamada Beatriz Peñafiel, que hace la vida imposible al severo general José Juan Reyes, un revolucionario zapatista interpretado por el insustituible Pedro Armendáriz, de quien luego se enamora y sigue a la guerra como compañera fiel e inseparable. Fue la primera vez, de una larga lista, que María evocaba la figura de la *soldadera,* la sufrida mujer que acompañaba a los hombres al frente del campo de batalla.

La película se posicionó con gran éxito en las pantallas internacionales y el prestigio alcanzado sirvió de acicate a la propia Academia Mexicana de Ciencias y Artes Cinematográficas, que otorgó a *La Doña* el premio Ariel por la mejor actuación estelar femenina. No falta quien considera que fue la mejor interpretación de toda su carrera, ni quien ve en *Enamorada* el mejor filme mexicano de todos los tiempos, también galardonado con los premios destinados a la mejor película, mejor dirección, mejor fotografía y mejor sonido.

Alentado por el estruendoso éxito obtenido entre el público, por la celebridad alcanzada y por el apoyo unánime de la crítica especializada, en 1949 Emilio Fernández se animó a realizar una versión anglosajona de *Enamorada* para los productores de Hollywood, titulada *The Torch*. Pero mientras Pedro Armendáriz repitió su papel, Beatriz fue interpretada por Paulette Goddard, la bella actriz que fue mujer de Charles Chaplin. Así, los espectadores norteamericanos se quedaron sin poder contemplar los expresivos ojos de María Félix que cautivaron al público de otros países y que hicieron de la Beatriz original una mujer irrepetible, hasta el punto de que esta nueva adaptación destinada al mercado estadounidense rozó el fracaso.

Enamorada fue el inicio de una fructífera alianza profesional entre la Félix y el *Indio* Fernández, de la que saldrían los más notables trabajos de la actriz. No en vano alguien definió a María como «el indio en falda», e incluso el propio realizador llegó a manifestar en una ocasión que si la actriz «hubiera sido su hija no se habría escapado viva del corral», en clara referencia al incesto, una situación presente en numerosas ocasiones en la filmografía del mexicano.

Emilio Fernández, el hombre que dijo que sólo seducía a las mujeres cuando había luna llena «porque la fase menguante merma las percepciones eróticas», definió a María como «una mujer de jade, preciosa y eterna, como nuestras diosas teotihuacanas». La prensa especuló con un romance entre ellos pero ninguno se pronunció al respecto, y por las palabras antes recogidas del director parece que por los sentimientos que ambos sentían no llegaron a traspasar la mera relación profesional

Poco después se estrenaba *La mujer de todos*, donde la actriz interpretaba a la vampiresa María Romano, que se enfrentará a los amores de dos hermanastros conducida por un director de buen gusto, Julio Brancho. El derroche para contar con los mejores recursos y el eslogan publicitario, que parecía el anuncio de la personalidad de su protagonista, aseguraron el éxito comercial de la película: «Uno era rico y ella le convenía... Otro era casi un niño y creía poder amarlo... El tercero le fue necesario. Tres hombres se quemaron, así, en la llama de una mujer, devoradora de vidas.»

Capítulo VII

— *María Bonita* —

Mientras cosechaba los éxitos de su recién estrenada carrera cinematográfica, segura de sí misma al ver cómo aumentaban sus dotes dramáticas y consciente de su embrujo, que la convirtió en símbolo prepotente del *glamour* de la mujer latina, María volvió a encontrar el amor. Se dijo que en 1944 se volvió a casar en secreto con el mariachi Raúl Prado, integrante del popular Trío Calaveras, pero que al parecer se separaron sólo dos meses más tarde. El rumor nació durante el rodaje de *El peñón de las Ánimas*, ya que en los descansos ella disfrutaba en compañía de los Calaveras. Lo cierto es que no hubo evidencia del presunto casamiento y la diva lo negó siempre.

El segundo matrimonio real de *La Doña* fue con uno de los más fecundos compositores de todos los tiempos, Agustín Lara, popularmente conocido como «El Flaco de Oro». Este músico de fama universal, dieciocho años mayor que María, era su ídolo de la infancia, hasta el punto que solía decirle a sus hermanas: «Un día me voy a casar con ese señor que canta tan bonito.» Y teniendo en cuenta que cuando se separó de Enrique Álvarez declaró: «Huí de él porque no le aguantaba. Yo necesitaba un hombre espiritual, un gran músico, un gran poeta, un artista», casi podríamos afirmar que la unión entre Lara y la Félix era un encuentro anunciado.

Agustín Lara había nacido en la capital de México el 30 de octubre de 1897, aunque él siempre afirmó que había llegado al mundo en la localidad de Tlacopalpán, al sur de Veracruz, en el año 1900, de hecho, parte de su infancia transcurrió en esta cosmopolita ciudad donde nacieron dos de sus hermanos. Perteneciente a una familia burguesa, su padre era médico, Agustín se aficionó a la música desde muy joven y amenizaba al piano las veladas familiares. Pero ante la situación económica del país con la llegada del movimiento revolucionario, sus padres se vieron obligados a alquilar algunas de las habitaciones de la vivienda y uno de los huéspedes fue el que llevo por primera vez al joven Agustín a una casa de «citas» para que ganara algún dinero como pianista. Este hecho le marcaría para siempre en su vida, tanto interior como exteriormente, porque una aciaga tarde una mujer celosa, que estaba escuchando la conversación telefónica que el músico mantenía con otra enamorada, pasó por su cara el vidrio de una botella rota y desde entonces una cicatriz atravesó su rostro de por vida. Después de varias peripecias en la que llegó a visitar la cárcel, acusado de robo, consiguió triunfar como compositor y pianista, sobre todo gracias a la intercesión del tenor Juan Arvizu, uno de los grandes cantantes de boleros de México. La vida amorosa de Agustín Lara fue prácticamente tan inacabable como inabarcable entre romances y amoríos. Su primera mujer, Angelina Brusquetta, era dueña de un famoso cabaret que había heredado de su padre, donde el músico trabajaba tocando el piano, y a este nombre le siguieron entre otros muchos, los de Carmen *La Chata* Zozaya, Yolanda Gazca, Clara Martínez, Vianey Lárraga, Irma Palencia, Rocío Durán… hasta llegar a la mujer que Lara consideró como el gran amor de su vida y de la que se confesó eternamente enamorado: María Félix.

Cuando ambos se conocieron, María pensó: «Me lo voy a conquistar esta noche», pero al final ella fue incapaz de resistirse «al ambiente canalla» que le daba la cicatriz de su cara, de la que María llegó a decir que «si no se la hubieran hecho, él se la debería haber mandado hacer».

Los dos se enamoraron y se divirtieron muchísimo: salían todas las noches, los domingos iban a los toros y, según la diva, «como amante era una maravilla». Cuando la atosigaban preguntándole qué había visto en un hombre tan poco agraciado, ella respondía que, «aunque probablemente no ganaría ningún premio de belleza masculina, como hombre deberían envidiarlo todos los que me cortejaron en vano». Y afirmaba: «Yo le veo guapo. La belleza no es sólo un físico atractivo, un hombre guapo es un macho con palabras de amor.» Por algo, Pedro de Lille, gran maestro de locutores radiofónicos latinoamericanos, bautizó a Agustín Lara como «El Músico Poeta».

Entre las seiscientas melodías que escribiera este genial compositor destacan *Granada* y las que dedicó a su musa, sobre todo *María Bonita*, un himno a la belleza del amor de su vida, posteriormente interpretado por infinidad de cantantes de todo el mundo y tocado en cualquier evento en el que la Félix hiciera una aparición pública. Por ejemplo, el violinista del renombrado restaurante parisiense Maxim's no perdía la oportunidad en cuanto la actriz mexicana se asomaba por allí.

Una de las cosas que María más le agradeció a Lara fue que le ayudara a recuperar a su querido hijo Enrique. Igual que hizo su ex marido en el pasado, aprovechó una visita para llevárselo definitivamente con ella. Cumplió así con una amenaza que le hizo a Enrique Álvarez en el pasado: «Aunque ahora puedas más que yo, llegará el día en que tenga más influencia que tú, y así como te lo robaste, así me lo robaré.»

Lara quiso mucho a Quique, aunque éste no se lo puso nada fácil. Incluso en cierta ocasión intentó envenenarle vertiendo champú y gotas nasales en la jarra de agua de Agustín poco después de haber recibido una buena reprimenda.

A pesar de la devoción que mutuamente se profesaban María y Agustín, tras cinco años de convivencia su relación comenzó a experimentar ciertos altibajos. El músico se sintió amenazado por las atenciones y exagerados regalos que María recibía de parte de importantes políticos y de sus numerosos admiradores. Los celos se apoderaron de él, convirtiéndole en un ser infame que la atosigaba con continuos interrogatorios. La actriz se planteó entonces abandonarlo, pero su propia madre le aconsejó que no lo hiciera sin más: «Tú no eres cualquier cosa, ponte importante con la gente, cásate y luego, déjalo. Ponle placas al coche que circule.»

En 1943, coincidiendo con el estreno de *La mujer sin alma*, los rumores de una boda secreta adquirieron tintes de acontecimiento nacional y ocuparon las portadas de todos los periódicos del país. Alguien dijo que a la boda entre Agustín y María sólo podía haberle hecho sombra la noticia de que Hitler y Mussolini habían sido amantes en Berlín. La actriz y el músico negaron su enlace entre ambigüedades, y así consiguieron de manera indirecta la mejor publicidad para el filme.

Pero dos años más tarde sí se produjeron las esperadas nupcias, y el 24 de diciembre de 1945 celebraron el enlace en la intimidad. Lara descorchó tantas botellas de champaña que decidió regar el jardín con las sobras «para embriagar las rosas». La feliz pareja viajó a Acapulco de luna de miel. Allí Lara compuso *María Bonita*, era su inmortal regalo de boda: «*Acuérdate de Acapulco, María bonita, María del alma...*». En un principio, el músico se negó a grabar la canción, porque no quería compartirla con nadie, hasta que María, consciente del éxito que tendría, le convenció para que la incluyera en un disco.

Pero, como si se tratara de una enfermedad a la que parecía continuamente encadenado, los celos de Agustín eran cada vez más intensos y más insoportables, y tras una de sus escenas María puso tierra de por medio y se fue a reflexionar a Nueva York. Durante su ausencia, «El Flaco de Oro» compuso *Humo en los ojos* y *Cuando vuelvas*, dos melódicos temas para regalárselos a su esposa como signo de reconciliación. Pero María no regresó con las manos vacías: uno de sus admiradores neoyorquinos le regaló unas joyas y Lara se enfureció tanto que la actriz tuvo que echarlo de casa. Estaba muy dolida y, acostumbrada como estaba a saborear la venganza, sólo había un consuelo posible para controlar su ira: envolvió los trajes de su marido en una manta con las iniciales de María Félix y mandó a su chófer al teatro donde Agustín trabajaba para que, cuando empezara su actuación, le tirara toda la ropa sobre el escenario. Él mismo tuvo que suspender la pieza para recoger sus calzones.

En 1947, María Félix trabajó en *La diosa arrodillada*, una rocambolesca historia basada en un cuento de Ladislao Fodor que Roberto Gavaldón quiso llevar a la gran pantalla. Su protagonista es Antonio Utiarte, un excéntrico millonario, mirón de estatuas de mujeres desnudas, que regala a su esposa Elena la estatua de su amante Raquel Serrano. Más tarde Elena muere en circunstancias extrañas y Raquel le chantajea para que se case con ella si quiere que su reputación siga intacta. Utiarte se ve atrapado en una trama de pasión y desprecio que domina su voluntad. Lo más interesante de esta obra son las posibilidades expresivas que quedan al descubierto con la fotografía en blanco y negro del maestro Alex Phillips, quien logró captar momentos de gran belleza plástica.

Capítulo VIII

— Un disparo marcado por los celos —

Profesionalmente hablando, 1947 fue uno de los mejores años para María Félix, ya convertida en la actriz más taquillera de México, pero también trajo el fatal desenlace de la pareja. Una noche, poseído y cegado por los celos, Agustín Lara disparó a María, errando afortunadamente el tiro. Incentivada por una nueva oferta del productor Cesáreo González, uno de sus más fervientes admiradores, para rodar en España, *María Bonita* decidió poner tierra de por medio con el corazón roto. Lara quiso decir la última palabra y por el divorcio le regaló el chotis *Madrid*: *«Cuando vayas a Madrid chulona mía, voy a hacerte emperatriz de Lavapiés, a alfombrarte con claveles la Gran Vía y a bañarte con vinillo de Jerez»*.

Mientras tramitaba los papeles del divorcio, María concluyó el rodaje de *Río Escondido*, donde se convirtió en el símbolo de la debilidad y la fortaleza de toda la nación. Estaba claro que *El Indio* tenía buen olfato y quiso volver a dirigir a la diva planteándose nuevos retos. Así surgió la historia de una humilde maestra rural, Rosaura Salazar, encomendada por el propio presidente de la República para llevar la educación y el sueño de la libertad hasta un pueblo apartado de la civilización, oprimido por la miseria y la ignorancia que les impone el tirano cacique Regino Sandoval. María Félix interpretó a la mismísima patria, grandiosa, preocupada por sus vástagos y enferma del corazón. *El Indio* elaboró una metáfora con alusiones cristianas que contenía su esperanza ante el cambio político que estaban viviendo con la llegada a la presidencia de Miguel Alemán. Sin embargo, inicialmente los críticos especializados del país acusaron al director de deteriorar el discurso narrativo del filme en beneficio de los manifiestos ideológicos; por ejemplo, André Camp recogía en *La Revue du Cinema* el siguiente comentario de la película: «La grandilocuencia ahoga los sentimientos. La exaltación de la patria y la preocupación por educar al pueblo para que tome conciencia de sí mismo se convierten en preocupaciones demasiado constantes que el argumento, débil, no justifica». Y hasta el insigne historiador Emilio García Riera ahonda aún más en esta opinión al escribir: «Con una buena dosis de inconsciencia, el *Indio* Fernández interpreta las esperanzas de una izquierda a la que el estalinismo había alejado de la dialéctica. *Río Escondido* no cuenta en realidad una historia de contradicciones y enfrentamientos: la cinta es una simple sucesión de situaciones resueltas y juzgadas de antemano conforme a las ideas que la izquierda tenía sobre el papel "positivo" de la burguesía nacional representada por el presidente Alemán.»

Pero, a pesar de todas estas opiniones, este título recibió numerosos premios, tanto nacionales como internacionales, y cuando se supo que Emilio Fernández llamó a María Félix para que interpretara el papel de Rosaura, nadie creyó que la «devoradora de hombres» saliera airosa de una interpretación dramática. Pero María siguió fiel a su naturaleza y volvió a llevar la contraria a la lógica, consiguiendo que la Academia Mexicana de Ciencias y Artes Cinematográficas premiara su actuación por segunda vez. Aquel galardón estuvo revestido de un tinte de desprecio. María ya estaba trabajando en España cuando se celebró la gala anual de los Ariel y no pudo asistir a recogerlo. Estela Pavón era otra de las nominadas en su misma categoría y tuvo que ser ella quien retirara el trofeo de la ganadora. El público se ofendió y abucheó a *La Doña* mientras ovacionaba a Estela Pavón que, según declaró, «no sé qué hacer con el premio de mi compañera».

Lo importante fue que de los diecisiete triunfos que concede la Academia, *Río Escondido* obtuvo nueve premios y fue declarada la película de mayor interés nacional.

Antes de que María Félix pudiera escapar a Europa, Emilio Fernández, seducido por el alcance de sus colaboraciones, la retuvo para filmar un drama de amor indígena en los bellos parajes de Pátzcuaro, lugar designado por los antiguos nativos como enclave sagrado y de recreo para los reyes purépuchas. La película se tituló *Maclovia*, pero a pesar de la participación de los galanes Pedro Armendáriz y Carlos López Monctezuma y de la extraordinaria fotografía de Gabriel Figueroa, la cinta resultó una obra menos abrumadora de lo que se esperaba, aunque María obtuvo un gran éxito a nivel personal, como ella misma reconocería al comentar: «Conseguí parecer humilde, algo dificilísimo para mí.»

En 1934 Carlos Navarro contó por primera vez el drama de los enamorados de *Janitzio*, pero la iniciativa de hacerlo fue del fotógrafo Luis Márquez, tentado con la belleza de la isla. El protagonista fue precisamente Emilio Fernández quien, nueve años más tarde, trasladó la historia a Xochimilco y con Dolores del Río y Pedro Armendáriz dirigió *María Candelaria*. En *Maclovia*, *el Indio* se reitera en la idea de los amantes apedreados, el pueblo implacable y la figura del violador, pero volviendo al escenario original en Janitzio.

Una de las anécdotas más destacadas de aquel rodaje fue el cortejo que le hizo a la actriz el político Jorge Pasquel, a quien había conocido en unas recientes vacaciones en Nueva York. El día que María tenía que partir a Pátzcuaro —a unos 400 kilómetros de ciudad de México— para empezar el rodaje, Pasquel mandó a su casa un cortejo de seis *Cadillac*, un batallón de camareros uniformados, barbero, cocinero, doncella, masajista y chóferes para que la sirvieran mientras estuviera trabajando. Pero se olvidó de un detalle: un día, ella le comentó divertida que se les había terminado el hielo en el hotel y él le mandó un hidroavión con un refrigerador. Cuando Pasquel vio la sorpresa que causó este envío en María quiso tomar por costumbre impresionarla a diario con una avioneta que le llevara cada vez un manjar diferente: caviar, langosta..., pero ella le sugirió que mejor le mandara sacos de arroz, maíz y frijoles para repartir entre los indios de Janitzio.

Pasquel, poseedor de una de las mayores fortunas de México, consiguió su propósito rondando a la actriz de forma principesca.

En otra ocasión se encontraba en Nueva York haciendo unas galas en un teatro. Su equipo de colaboradores regresó a México el mismo día en que terminaron las actuaciones, pero ella aún se retrasaría un día. Era sábado por la noche cuando se dio cuenta de que se habían llevado todo su equipaje, dejándola sin ropa para el día siguiente. Llamó a Pasquel y le comentó la faena, además estaba todo cerrado y no podía comprar nada. Minutos después, el influyente político le mandó una limusina para que la llevara al *Saks* de la Quinta Avenida; Pasquel consiguió que abrieran sus puertas en exclusividad para su diosa.

Por entonces, Tito Davison la contrató para ser Ángela en *Doña Diabla*; para algunos, como el historiador de cine mexicano García Riera, en esta película María Félix consigue el papel mejor interpretado de su carrera, ya que su maquiavélico personaje era prácticamente un trasunto de su propia personalidad, lleno de venganzas y de juegos seductores. Así lo creyó también y por tercera vez la Academia Mexicana de Ciencias y Artes Cinematográficas, que volvió a concederle el Ariel por la mejor actuación estelar femenina. Desde luego, ¿quién puede olvidar la mirada y la frase con que Ángela responde a uno de sus amantes cuando éste le pregunta si se ha olvidado de él? «¡Claro que no! De ti me ha quedado un buen recuerdo y una magnífica residencia», se jacta ella.

Algunos comentarios de expertos puristas señalaron que Davison había corregido los desgraciados andares de la Félix, tornándolos ágiles y rítmicos, dos cualidades de las que la actriz carecía. Además el diario *Esto* señaló el también apreciable dominio en los cambios de voz: «enérgica, ruda y grosera a veces, y tierna, suave y dulce cuando está frente al amor de su vida».

Pero desgraciadamente Pasquel no supo distinguir entre la realidad y la ficción y, una vez más, los celos, como sucediera anteriormente durante su matrimonio con Agustín Lara, arruinaron su relación. Él empezó a enloquecer hasta el punto de que ni siquiera soportaba a los compañeros de rodaje de María, así que la estrella decidió no esperar un minuto más y acudir a su cita con Europa.

Capítulo IX

— A la conquista del viejo continente —

Para entonces, María Félix ya estaba considerada como una de las glorias más importantes de Latinoamérica, los espectadores la habían subido al mismo pedestal que ocupaban Pedro Armendáriz y Dolores del Río, y como tal llegó a España en 1948, siguiendo o adelantando los pasos de un buen número de cineastas mexicanos: Juan José Martínez Casado, Paquita de Ronda, Rosario Granados, El Trío Calaveras, etc.

A su llegada la esperaba una gran acogida, amparada por el éxito abrumador de *Enamorada*, aunque en Madrid el primer reportero que se acercó a ella en el aeropuerto exclamó decepcionado: «¡Nos han dado gato por liebre! México nos manda una mujer deforme que tiene los ojos más grandes que los pies.»

Gracias a Rafael Gil, quien la dirigió en *Mare Nostrum* —para muchos, en realidad él quedó sometido a las directrices de la estrella—, donde interpretó a una seductora espía del estilo de Mata Hari, junto a las figuras de Fernando Rey y José Nieto; y en *La noche del sábado*, drama basado en la celebérrima obra del Premio Nobel Jacinto Benavente, *La Mexicana*, consiguió dos éxitos de taquilla que la catapultaron a un estrato de popularidad al que nunca podrían aspirar las divas autóctonas. El hecho de que algunos diarios de provincias desaconsejaran ir a ver sus películas porque tenían cierta «audacia sexual» no hizo más que abarrotar las salas de los cines para ver *Mare Nostrum*, donde la Félix aparecía cubierta con una toalla y mostrando los hombros desnudos.

Gil era un director de talante muy abierto, que había pertenecido al grupo de Escritores Independientes durante la década de los 30 y cuando estalló la Guerra Civil española realizó algunos documentales para el gobierno republicano. Sin embargo, con la llegada del franquismo dirigió y escribió diferentes cortometrajes de carácter patriótico, hasta que le llamaron del Estado Mayor para formar parte del equipo cinematográfico del estamento militar. No es de extrañar, por tanto, que sus películas pudieran pasar la rígida censura de la época sin excesivas dificultades.

La participación de *La Doña* en el cine español de posguerra fue bastante prolífica, llegando a protagonizar otros títulos menores, como *Una mujer cualquiera*, otro melodrama de Rafael Gil, y *La corona negra*, del argentino Luis Saslavsky, un relato policiaco del poeta y cineasta francés Jean Cocteau, ambientado en el exotismo de Tánger (Marruecos), donde compartió cartel con Rossanno Brazzi y con un entonces principiante Vittorio Gassman.

María entablaría una gran amistad con Jean Cocteau, lo veía adorablemente excéntrico e intelectual. En cierta ocasión, él le dijo que era una loca que se creía María Félix. Casualmente, pocos días antes, María le escuchó decir: «Víctor Hugo es un loco que se cree Víctor Hugo», por lo que contestó a Cocteau que se repetía mucho y que se plagiaba a sí mismo. Sin embargo, cuando él dijo que «es tan bella que hace daño», María quedó satisfecha y se ahorró la réplica.

El rodaje de *La corona negra* fue una explosión de nuevas experiencias. La más importante de ellas tuvo lugar cuando todo el equipo se vio obligado a asistir a un banquete caníbal para que el jeque de Xauen, un pueblo anclado al pasado, reacio a que les contaminaran con sus costumbres occidentales, les dejara rodar allí. María logró convencerle con una par de sonrisas y éste quedó tan prendado que preparó un convite elaborado con carne de niños sacrificados a Alá por haber nacido de un concubinato. Nadie quería aceptar la invitación pero el emisario del jeque les advirtió que el permiso de filmación dependía de ello. «Por miedo al jeque y por amor al cine tuvimos que comer carne humana. Era un manjar delicioso y nadie se indigestó.»

María estuvo tres años en España, en los que no todo fue trabajo. Como era de esperar, se rodeó de *glamour* y desde el primer momento se infiltró en los círculos de la sociedad más selecta. Ya en el aeropuerto madrileño de Barajas, el diestro Luis Miguel Dominguín, que en ese momento llegaba de Sevilla, se acercó a saludarla a la aduana. Tenían modos muy similares de vivir la vida y la química hizo el resto. «Fue un capricho pasajero», declaró algunos meses después y añadió: «Si algo me sobraba en España era la compañía masculina.» La prensa se emocionó fotografiando a la actriz y al torero y las imágenes llegaron a México. Las instantáneas supusieron graves y considerables pérdidas para María Félix, porque Pasquel, fuera de sí, le destrozó la casa. Ante la atónita servidumbre, se abalanzó contra la vajilla y la porcelana. María nunca se lo perdonó y no volvió a verle.

La actriz regresaba esporádicamente a su país y sus compatriotas, que estaban ofendidos por su larga ausencia, no perdían la oportunidad de criticarla o involucrarla en infundados escándalos. Por ejemplo, en agosto de 1949 María Félix viajó a México para resolver asuntos pendientes y pasar unas vacaciones junto a su hijo, y la morbosidad de la prensa no tuvo piedad con ella, llegando a emparejarla hasta en un asesinato. Una mañana, hallaron el cadáver de su secretaria Rebeca Uribe. Estaba desnuda, en una habitación del motel Tony's Courts, con una jeringuilla clavada en el brazo. María se quedó petrificada. Su secretaria le parecía una mujer extremadamente encerrada en sí misma y pensó que estaba acomplejada por su fealdad, pero no se le pasó por la cabeza que fuera drogadicta. Al principio se habló de suicidio, pero luego se descubrió que Rebeca había llegado acompañada de una mujer muy alta que abandonó el motel a primera hora de la mañana. La policía encontró una foto de la actriz en el bolso de la difunta, y este hecho accidental fue suficiente para señalarla como principal sospechosa. La prensa entró en ebullición y de nada sirvieron las declaraciones que María concedió al diario *Excelsior* diciendo que, para ella, la señorita Uribe había sido una excelente secretaria además de una amiga, que poseía una gran cultura y destacaba por su calidad humana.

Afortunadamente, la policía dio con la misteriosa mujer que pasó junto a Rebeca las últimas horas de su vida, era la hija de un tal general Mendoza que se asustó al ver a su amante agonizando por una sobredosis de cocaína.

Dolida por el trato que estaba recibiendo de sus compatriotas, María Félix abandonó México no sin antes declarar despechada: «Volveré a casa más famosa que cuando salí de ella.» A pesar de todos los triunfos cosechados, la actriz se negó en repetidas ocasiones a viajar a Hollywood porque sólo le proponían papeles estereotipados: «No quise trabajar para el cine norteamericano porque nunca me ofrecieron algo que valiera la pena. Sólo querían que hiciera papeles de india, y yo no nací para llevar canastas», comentó arrogante. Lo cierto es que la diva odiaba la lengua inglesa y, sobre todo, temía la competencia. Hollywood era el único lugar donde no sería la mejor ni la más bella. Así que pensó en Europa «como un refugio donde podía vivir sin presión». Por tanto, una vez seducida España, se lanzó a la conquista de Italia.

Recién llegada al país transalpino, Mario Sequi la trasladó al año 1865 y le hizo vivir un drama en la Toscana rural del *Risorgimento*, enmarcado en una atmósfera irreal: unas joyas malditas seducen a la esposa de un campesino. La experiencia con *Hechizo trágico* (*Incantesimo tragico*) fundamentalmente le sirvió para aprender el italiano, gracias a lo cual el veterano Carmine Gallone se la imaginó luciendo una túnica y la encontró ejemplar para su nuevo proyecto: una nueva representación de *Mesalina* (*Messalina*). El proyecto era todo un desafío al que *La Doña* no podía negarse. La versión muda del gran Enrico Guazzoni, pionero en el empleo de miles de figurantes —ya en 1910 empleó mil extras en *Agripina*, por no mencionar *Quo Vadis?* en 1912—, contó con la participación de la condesa Rina de Ligurio, de quien la prensa dijo que era «encantadora y dulce, con la firmeza en la mirada que no tuvieron las vírgenes de Rafael, a las cuales se parece». Es fácil imaginar a María sonriéndose, al fin y al cabo Mesalina fue la mujer más promiscua del Imperio Romano y ¿quién sino *La Doña* poseía la mirada más déspota, arrogante y seductora de la que se hubiera servido la mismísima Mesalina para sus fechorías sexuales? Por si no fuera suficiente aliciente, la productora de Cesáreo González, que participaba junto a la francesa Filmosonor y a la italiana Produzione Gallone, redactó un documento para coartar el desenfreno que podía generar un personaje tamañamente impúdico, y lo distribuyó entre todo el equipo. Nada mejor para estimular el lado transgresor de la protagonista. El panfleto decía así: «Valeria Mesalina vivió antes del nacimiento de Jesucristo. Fue la tercera esposa del emperador Claudio, pero su comportamiento hería constantemente a su marido, quien terminó por hacerla atar. Tuvo Mesalina dos hijos, llamados Octavia y Británico. Dejándose llevar por los excesos, Mesalina adquirió amantes y fue un ejemplo de desenfreno para una sociedad que terminó por aborrecerla. Claudio sufrió con este matrimonio y el Imperio fue objeto de burlas y de chistes. Un criado liberto, llamado Narciso, traicionó a Mesalina, lo que dio lugar a que el emperador Claudio tuviera pruebas suficientes de su infidelidad. La ejecución de Mesalina fue acogida en Roma con alegría.»

Esta película fue la producción más cara y colosal del momento, muy superior en gastos a los célebres *peplum* tan de moda en aquella época; se reconstruyó la Roma del emperador Tiberio Claudio Nerón Germánico y se gastó una fortuna en extras y vestuario pero, a pesar de todo, la crítica se sintió defraudada y los periódicos llegaron a escribir: «El drama interior está totalmente ausente, la acción es fragmentaria y falta la continuidad.» Sin embargo, varias décadas más tarde, el filme se revalorizó cuando comenzaron a salir diferentes versiones cinematográficas y televisivas sobre la figura de Mesalina y ninguna de ellas consiguió superar esta de Carmine Gallone.

La incursión de *La Mexicana* en la industria cinematográfica italiana fue breve, pero suficiente para dejar su huella imborrable en el celuloide latino.

Varios meses antes del rodaje de *Mesalina*, María había recibido un proyecto desde Argentina que no podía seguir postergando por mucho más tiempo, y en 1952 se trasladó a Buenos Aires para trabajar junto al galán Carlos Thomson en una producción local titulada *La pasión desnuda*. Se le presentó entonces una gran oportunidad para coger en Génova el lujoso transatlántico *Giulio Cesare* y atravesar el charco. Fue el viaje más divertido e irresponsable de su vida. El barco hizo escala en Río de Janeiro, con el carnaval recién empezado, y a bordo de la nave también viajaba el apuesto Francesco Aldo Brandini, quien la convenció para perderse en el caos de la fiesta. María no lo dudó, abandonó a su equipo y todas sus pertenencias en el barco y se dispuso a vivir unos días y unas noches de euforia y desenfreno antes de centrarse en su nuevo trabajo.

Cuando llegó a Buenos Aires, se desató el frenesí habitual que despertaba su presencia cada vez que un país le daba la bienvenida. Una vez más, su primer cruce de palabras en el aeropuerto fue con un periodista insolente que le preguntó si era lesbiana. «Lo sería si todos los hombres del mundo fueran como usted», contestó la actriz.

Durante el rodaje de la *Pasión desnuda*, un filme inspirado en la leyenda de Thais, la célebre cortesana de Alejandría, ella y Thomson vivieron un tórrido idilio del que se hizo eco toda la prensa latinoamericana. Junto a él, *la Mexicana* aprendió a bailar el tango y no dudó cuando su enamorado le propuso desposarla. Thomson lo tenía todo, era portentosamente apuesto, de modales refinados y de familia muy bien posicionada.

Apenas se conoció la noticia, empezaron a llegar regalos de todas partes del país y María mandó llamar a su hijo para que asistiera a la boda. Ya estaba todo dispuesto, se eligió Montevideo para oficiar la ceremonia porque en Uruguay los trámites eran más sencillos, pero en el último momento la diva comprendió que lo que verdaderamente la unía a Thomson no era amor sino una «pasión desnuda», y canceló la boda tres días antes de su celebración. El argentino tuvo miedo a los comentarios de la prensa y, alarmado, le preguntó a María sobre lo que iban a hacer y a decir. Ella le sugirió que fingiera la rotura de un brazo. Él, desairado, desapareció de la escena. Entonces, desde otra habitación llegó un tremendo grito de dolor. Poco después y con la cara desencajada por el sufrimiento, Carlos volvió frente a María y con la voz entrecortada le dijo: «Me lo he roto de verdad, para que no me tachen de mentiroso.»

No existía precaución posible que evitara que los periódicos se cebaran con la historia, inventando toda clase de rumores y extravagancias. Algunos de los titulares decían: «Choque entre una mujer temperamental y un hombre de carácter», «Carlos no pudo con

María», «Un idilio destruido»... En medio del escándalo, María fue rescatada por Roberto Gavaldón, quién la reclamó desde México para rodar *Camelia*, una paráfrasis de *La Dama de las Camelias*, la novela de Alejandro Dumas, ambientada en el mundo del teatro entre bambalinas y del toreo, donde la fuerza de *la Mexicana* no encontró la resistencia interpretativa apropiada en su compañero Jorge Mistral.

Con los años recapacitó y declaró: «Supongo que mi partida fue un golpe demoledor para Carlos, pero tengo un egoísmo tan arraigado que ni siquiera me detuve a pensar en su frustración.»

Capítulo X

— El charro se rinde a sus pies —

Tal como había sido su propósito, María regresó a México convertida en una estrella internacional, pero lo que no esperaba era la difícil situación en la que iba a encontrar sumergido al cine que la convirtió en una diva estelar. Entre 1946 y 1950 se sucedieron varios hitos en la historia del cine nacional: Emilio Fernández consolidó su fama mundial al obtener distintos premios internacionales, el director español Luis Buñuel inició la etapa mexicana de su filmografía y Pedro Infante se convirtió en el actor más popular del país. Sin embargo, aunque al terminar la guerra el cine mexicano gozó un tiempo del prestigio ganado, la competencia extranjera rebrotó más potente y amenazante que nunca. Para conservar el ritmo de trabajo, las compañías se vieron obligadas a abaratar los costos de producción de las películas, resintiéndose alarmantemente la calidad de las mismas. De esta manera proliferaron las cintas de bajo presupuesto, filmadas en tiempo récord y que fueron adjetivadas popularmente por los comentaristas como *churros* o «filmes hechos al vapor».

Además, en 1946 asumió la presidencia del país el veracruzano Miguel Alemán Valdés. Su llegada al poder representó un cambio importante dentro de las estructuras políticas y también, bajo su gobierno, se decretó la Ley de la Industria Cinematográfica según la cual recaía sobre a la Secretaría de Gobernación —a través de la Dirección General de Cinematografía— el estudio y resolución de los problemas relativos al cine. Esta decisión fue tomada por la necesidad de desmantelar el monopolio de la exhibición cinematográfica que existía entonces, prácticamente controlada por un grupo encabezado por el norteamericano William Jenkins, dando lo que supuso el primer paso para la burocratización del cine. Alemán no supo calibrar lo negativa que se mostraría esta medida en el futuro, que incluso llegaría a afectar sus medidas al desarrollo de la industria llevándola a estar estancada y tecnológicamente retrasada. La producción seguiría concentrada en pocas manos y la posibilidad de ver surgir a nuevos cineastas era casi imposible.

Su sexenio estuvo cinematográficamente marcado por las películas de rumberas y de arrabal, dos géneros que encajaban perfectamente en el concepto de producción rápida y barata, que mostraban la vida en los barrios pobres de la ciudad, reflejando el fenómeno de la creciente urbanización del país. El argumento era siempre el mismo: representaba el espejo en el cual se miraban los provincianos que llegaban a la capital con la esperanza de encontrar un futuro más prometedor. Una chica humilde partía ilusionada hacia la ciudad, pero la gran urbe aniquilaba su inocencia y echaba por tierra sus sueños de prosperidad, relegándola a bailar en un cabaret.

María Félix supo que nunca tomaría partido en la decadencia estética del cine mexicano del momento y se concentró en atender las pretensiones de Jorge Negrete, que no dejó de agasajarla desde que la diva volvió a pisar México.

El charro no había simpatizado con la sonorense desde que sufrió la réplica de una protagonista novata en *El peñón de las Ánimas*; sin embargo, cuando María Félix regresó a México Jorge Negrete había roto su relación con la actriz Gloria Marín, con la que había convivido durante diez años y, según parece, bastante despechado, había manifestado a sus amigos más íntimos que sólo volvería a enamorarse si conseguía conquistar a la mujer más bella del país. Si por entonces se le preguntara a cualquiera de sus compatriotas por la mujer más hermosa, probablemente el nombre de María Félix hubiera salido de la boca de la inmensa mayoría. Negrete, que admiraba a la actriz tanto por su talento artístico como por su belleza, fue a visitarla al Hotel Regis, donde se alojaba en aquellos momentos, y después de un encuentro que inicialmente resultó bastante frío, él no cesó de rondarla con serenatas y de enviarle flores hasta enamorarla y convertirla en su mujer.

Aunque al principio la pareja intentó llevar su noviazgo en el más absoluto de los secretos, pronto todos los periódicos del país recogieron la noticia de un romance que iba a sorprender a la mayoría de los mexicanos. Los periodistas tenían como confidente principal a una empleada de servicio de la actriz Andrea Palma, amiga personal de la pareja; según comentó a la prensa, su señora había ofrecido una cena a la que estaban invitados algunos personajes importantes del país y, cuando fue a abrir la puerta, delante de ella aparecieron juntos y sonrientes María Félix y Jorge Negrete, y fue tan grande su sorpresa que se desmayó en el acto porque no sabía si estaba soñando o lo que habían visto sus ojos era de verdad.

Hijo de un teniente coronel de ejército mexicano, Jorge Alberto Negrete Moreno había nacido en Guanajuato el 30 de noviembre de 1911. Después de estudiar en un colegio militar, continuando con la castrense tradición familiar, y cuando ya había conseguido la graduación de teniente, decidió cambiar las armas por la canción, primero haciéndose llamar Alberto Moreno, intentando evitar así que su disciplinada familia descubriera su auténtica vocación, y más tarde con su verdadero nombre.

Sin embargo, y a pesar de que sus inicios artísticos estuvieron plagados de fracasos, primero en la radio y después en la compañía de Roberto Soto como intérprete lírico, Jorge Negrete no tardó en hacerse un hueco como cantante popular y actor, compaginando en la pantalla las dos disciplinas que le harían mundialmente famoso. Precisamente la mayoría de sus conquistas amorosas, incluida María Félix, tuvieron como protagonistas a sus compañeras de reparto. El primero de sus romances más sonados fue con María Fernanda Ibáñez, a la que conoció durante el rodaje de *La Madrina del Diablo*, un filme dirigido por Ramón Peón en 1937, en el que Negrete emulaba el personaje literario de Don Juan Tenorio convertido en barítono y en versión mexicana, pero desgraciadamente esta actriz de enorme carácter moriría al poco tiempo de iniciar su relación. Al año siguiente, en 1938, Jorge Negrete se enamoraría de su *parte-*

naire femenina Elisa Christy, primero durante la filmación del melodrama ranchero de Martín de Lucentay titulado *La Valentina*, donde comenzó con ella un pequeño flirteo, y pocos meses más tarde, cuando volvieron a coincidir de nuevo en la comedia de Fernando A. Rivero *Juntos, pero no revueltos*, entonces ya decidió convertirla en su primera esposa. La boda se celebró en el año 1940 y fruto de este matrimonio nacería su hija Diana. Un año más tarde, en 1941, fue contratado por Joselito Rodríguez para intervenir en el filme *¡Ay, Jalisco, no te rajes!*, título que subió a Negrete a los altares y le consolidó como el actor más cotizado del momento en el cine mexicano después de interpretar el popular papel del vengativo Salvador Pérez, más conocido por «El ametralladora». Pero el actor y cantante siempre mantuvo que estaría agradecido eternamente a esta película, más que por lo que había significado en su carrera artística porque gracias a ella conoció a Gloria Marín, que se convertiría en su compañera sentimental durante diez años, aunque la pareja nunca llegó a contraer matrimonio a pesar de tener juntos una hija en adopción.

Jorge Negrete y Gloria Marín compartieron cartel interpretativo en doce películas y precisamente la última de ellas, realizada en 1951, cuando la pareja ya se había separado, titulada *Hay un niño en su futuro*, parece estar inspirada en sus complejas relaciones personales. Al poco tiempo del estreno de este filme, tanto Jorge Negrete como Gloria Marín se casaban respectivamente con María Félix y Abel Salazar.

Los mexicanos no olvidarán aquel 18 de octubre de 1952, día en que su actriz más emblemática y el charro más guapo del país se unían ante su beneplácito, en lo que llamaron «la boda del siglo».

En esta ocasión María consintió en realizar un festejo masivo y abierto a los medios de comunicación. Al evento asistieron cuatrocientos invitados, ochenta fotógrafos y sesenta periodistas. El sarao hubo de celebrarse en los catorce mil quinientos metros cuadrados de jardín de su recién adquirida mansión, la casa de Catipoato.

María se vistió en un hotel, pero cuando fue a iniciar el camino que le llevaría a su finca miles de personas le impedían avanzar y fue tan grande la avalancha de gente que se había concentrado por todo el trayecto para felicitar a la pareja en un día tan señalado, que la actriz decidió refugiarse en el hotel hasta que los agentes de policía consiguieron finalmente dejar el camino libre. Una deslumbrante novia partió hacia su boda con una hora y media de retraso, y cuando el cortejo llegó a la Avenida de los Insurgentes, se le unió el emocionado novio, Jorge Negrete.

La pareja vestía de manera impecable con ropajes mexicanos: él lucía un traje de charro marrón con abotonadura de plata y ella un vestido muy similar al que mostró en pantalla durante la película *Enamorada,* e iba adornada con un rosario de perlas, grandes pendientes y un medallón de oro.

Durante la simpática fiesta, muchos de los presentes oyeron decir a un feliz y dicharachero Negrete: «Ahora sí que tengo entre mis manos al amor de mi vida. He encontrado en María todo lo que siempre busqué: amor, comprensión y un cariño recíproco.» Y es que durante el tiempo que permanecieron juntos, a los dos se les vio tan enamorados como el día de su boda. Era habitual encontrar a Jorge Negrete depositar a su esposa en los estudios durante los rodajes y después ir a recogerla cuando ya había finalizado su jornada laboral.

Una vez casados, María Félix y Jorge Negrete volvieron a formar pareja artística principal en 1953, en los filmes *Reportaje* y *El rapto,* ambos trabajos dirigidos por Emilio Fernández. El primer título era un *collage* de historias sociales que se cruzan entre sí a través de un artículo periodístico, mientras que el segundo era una pretendida comedia ranchera, en la que el cantante era dado por muerto pero aparecía repentinamente después de que se hubieran vendido sus tierras y las autoridades solucionaban este problema obligándole a compartir su casa con la compradora, que nos era otra que María Félix. Ya por entonces se aludía a las dolencias hepáticas que en la realidad padecía Jorge Negrete, y durante el rodaje de *El rapto* el charro se vio sometido a un suplicio que a duras penas pudo superar ya golpeado mortalmente por su enfermedad. Incluso en una ocasión se cayó del caballo y necesitó varios días de reposo absoluto. Cuando volvió, estaba extremadamente pálido y debía someterse a sesiones especiales de maquillaje.

Jorge Negrete no volvió al cine, pero la carrera de María no había frenado su ritmo. Una interesante propuesta llegó desde Francia.

Richard Pottier la quería para interpretar a la hermosa cupletista Carolina Otero, conocida como «La sirena de los suicidios», por la que muchos hombres, entre ellos dos banqueros y un conde, se quitaron la vida al no poder gozar de su hermosura. *La Bella Otero* (*La Belle Otero*) era una producción que reconstruía cuidadosamente el París de principios del siglo XX, cuando tres hermosas *vedettes* competían por ser la mejor, la reina de la brillante noche parisiense: Lian de Pugry, Emiliene D'Alencon y Carolina Otero.

Cuando su amigo Salvador Novo supo que iba a encarnar nada más y nada menos que a la admirada Carolina Otero, le envió un poema que José Juan Tablada había escrito inspirado en la cupletista, con el ingenuo propósito de que fuera asumiendo el que iba a ser su nuevo rol en el cine:

¿Qué candor más diamantino que tu crimen y tu incuria?
Eres pantano, cisterna y oasis y desierto,
Das la muerte sonriendo y el gran sol de tu lujuria
Blanquea las osamentas de los que a tus pies han muerto.
Inconsciente como un ídolo, eres trágica y fatal,
Y entre flores y cantando como Ofelia...
Vas al mal.

Para realizar convenientemente su papel, María Félix tuvo que aprender francés a marchas aceleradas, recibir numerosas clases de baile y aprender a tocar las castañuelas. Todo esfuerzo era poco, y aunque a María le seducía enormemente la idea de interpretar a una mujer que había inspirado al poeta Juan Tablada, Negrete tuvo que instigarla para que aceptara el papel, pues a priori ella era reacia a marcharse dada la delicada salud de su compañero. Además de los ánimos que le daba el famoso charro, lo cierto es que volver a Europa era una oportunidad que la actriz no podía dejar escapar, porque en México se estaba formando un grupo de cineastas independientes que representaban la opción de mayor calidad, pero la Félix no estaba para enseñar a principiantes que no podían permitirse pagar su caché.

Francia la recibió titulando a ocho columnas: «¡*Enamorada* está en París!» e inmediatamente se sintió espléndidamente, pero el júbilo sólo le iba a durar un suspiro porque, desgraciadamente, los peores temores de María se materializaron y durante la filmación de la película le notificaron que su cónyuge había ingresado en un hospital californiano y que su estado de salud era muy grave.

Jorge Negrete tuvo una fuerte recaída de su dolencia mientras actuaba en el Million Dollar de Los Ángeles, contratado por el empresario norteamericano Frank Fauce, que le dejó en coma. María llegó a su lado, a la habitación 506 del hospital Cedros del Líbano y pasó con él la agonía de sus últimos días de vida. El charro murió el 6 de diciembre de 1953, a la temprana edad de cuarenta y dos años, y no faltó quien culpó de ello a la bebida. Pura ignorancia, la hepatitis que le aquejaba degeneró en una cirrosis vírica que le destrozó el hígado. Jorge Negrete no bebía alcohol pero sí fue secretario general de la Asociación Nacional de Actores (ANDA), y sus esfuerzos por obtener para al gremio de actores asistencia social y médica le supusieron tantos problemas y responsabilidades que los médicos le advirtieron del riesgo que suponía para su salud, pero Negrete hizo oídos sordos a estas indicaciones.

Por ejemplo, el mencionado filme *Reportaje* fue coproducido por él, y su fin último era conseguir suficientes beneficios para que la Asociación pudiera salir de la bancarrota en la que se encontraba. En él participaron de forma espléndida y gratuita los rostros más conocidos y populares de la cinematografía mexicana, a excepción de Mario Moreno *Cantinflas,* que se negó a trabajar si no recibía algún beneficio a cambio, por lo que el éxito estaba garantizado desde el primer momento.

María no podía dejar de pensar en el día de su boda. Cuando terminó el banquete el charro le dedicó varias canciones de amor y, adivinando su futuro, terminó cantando «México lindo y querido, si muero lejos de ti, que digan que estoy dormido y me traigan aquí». Sin perder ni un minuto dispuso el traslado del cadáver a su patria para que fuera despedido y homenajeado por su pueblo.

Sus admiradores encajaron el golpe con dificultad, el cuerpo tuvo un tempestuoso recibimiento, se preparó una capilla adornada con la bandera nacional y con la Virgen de Guadalupe, prensa y cámaras de televisión acudieron al entierro, mil cuatrocientos artistas suspendieron su trabajo en señal de duelo, una jovencita se suicidó por el difunto, otra murió asfixiada durante el multitudinario sepelio... Pero nada tuvo tanta repercusión como la manifestación de malestar de los seguidores de Negrete, que consideraban que la viuda no debía vestirse con unos pantalones azul marino durante los festejos fúnebres. Un escándalo sin precedentes al que ella contestó: «Si no les gusta que se pongan falda ellos.»

Pero aún hubo algo más que molestó sobremanera a la Félix. El cortejo fúnebre estaba compuesto por los actores más importantes de ese momento, con Pedro Infante a la cabeza, y cuando concluyó el sepelio, en el panteón Jardín, Mario Moreno *Cantiflas* se subió con la viuda a la limusina que la transportaba. *La Doña,* indignada, le pidió que se bajara, porque no podía tolerar que el que consideraba «el peor enemigo de Jorge en la ANDA, una de las personas que más contribuyeron a destrozarle el hígado, y me pareció muy cínica su comedia de amigo consternado», se mostrara junto a ella ante los fotógrafos con «sus lágrimas de cocodrilo», cuando toda la prensa sabía que él y el charro eran como el agua y el aceite.

Este malestar respondía a una secuencia de episodios que dieron comienzo el día que Jorge Negrete fue reelegido como secretario general de la ANDA, en detrimento de Mario Moreno *Cantinflas*. Negrete fue uno de esos hombres que aman su profesión y se entregan por entero a ella, más allá de su propio éxito personal. Así lo demostró con su actividad sindical, un ejemplo de fervor que bien merecía hasta la pérdida de la salud, por no hablar del sacrificio del amor, pues sus obligaciones en la ANDA deterioraron su relación con Gloria Marín, la que fue el amor de su vida.

Pero *Cantinflas* tenía una percepción de las cosas cegada por su ambición y manifestó abiertamente su desagrado ante la ratificación de su presidente, objetando y oponiéndose a cuanto la recién electa directiva se proponía realizar.

Sólo una cosa consoló a María, la convicción de que Negrete se casó con ella porque sabía que se iba a morir y quiso «pasar un año fabuloso», algo que ella pudo darle.

El detalle más tierno que conservaba *La Doña* de su tercer marido fue póstumo. Cuando terminaron el rodaje de *El peñón de las*

Ánimas, Jorge se negó a firmar en su libreto, a pesar de que el resto de sus compañeros le dedicaron hermosas palabras. Tuvieron que pasar varios años desde la muerte del charro para que María encontrara accidentalmente el famoso guión. Melancólica, le echó un vistazo y se topó con una maravillosa y conmovedora sorpresa. Jorge sí le firmó el libreto, aunque secretamente y con algo de retraso, la dedicatoria decía así:

«Diez años después.
Amor de mi alma:
Siento un rencor enorme hacia mí, por no haber tenido la inteligencia ni el suficiente corazón para encontrarte entonces, pues sé ahora y siempre que no había ni habrá felicidad para mí si me faltas tú.
Perdóname, si puedes, estos diez años de estupidez;
yo no me perdonaré jamás.
Te adorará siempre,
tu Jorge.»

Capítulo XI

— El París de Renoir —

Terminado el rodaje de *La Bella Otero,* María sufrió un conato de depresión. Igual que la tempestad precede a la calma, el caos emocional y profesional de los últimos meses la dijó exhausta. Pero la diva sintió lo que necesitaba para subirse el ánimo: una pintura en la que contemplarse y que le devolviera la imagen sublime y fastuosa de sí misma.

Acudió al estudio parisiense de la pintora Leonor Fini. Se hicieron amigas y durante una de las sesiones de posado, la retratista la notó algo apagada y le propuso regalarle un hombre que le devolviera la luz. María pensó que bromeaba y le dijo que le parecía bien, pero antes quería ver la mercancía. Entonces entró el varón que le haría olvidar su viudedad: Jean Cau, talentoso poeta y secretario de redacción de la revista *Les Temps Modernes,* donde escribía Jean-Paul Sartre, a quien también conoció pero del que no guardaba una grata opinión pues, aunque admiraba su inteligencia, no soportaba la prepotencia de quienes siempre querían decir la última palabra.

Jean Cau la atrajo tanto física como intelectualmente, y junto a él reanudó su vida social. Llegaron a vivir juntos y él le pidió en matrimonio innumerables veces, recibiendo infinitas negativas.

Por entonces, el admirado Jean Renoir le ofreció el papel de Margot, «La Belle Abbese», en *French Can-Can,* película cuya trama formal era la vida de Charles Zidler —llamado Danglar en la ficción—, fundador del famoso Moulin Rouge de París. María se desilusionó al ver que su intervención en la película era pequeña, pues «La Belle Abbesse» tan sólo fue la amante de Zidler, incapaz de retenerlo cuando éste se enamoró de la joven Nini. Pero Renoir supo cautivar a *la Mexicana* y la actriz quedó prendada de la gran personalidad del realizador francés, considerado uno de los nombres más importantes y respetados del séptimo arte, y no pudo negarse a participar en la película junto a la máxima figura del cine francés, Jean Gabin.

Jean Renoir, hijo del gran pintor impresionista Auguste Renoir, heredó de su padre el amor por el arte y destacó como escritor, productor, director de teatro y, sobre todo, realizador cinematográfico, en la acepción más grande de la palabra. En 1912, antes de iniciarse en el séptimo arte, se alistó en el cuerpo de dragones del ejército, y veinticinco años más tarde, en 1937, recogería sus experiencias bélicas en el filme *La gran ilusión* (*La grande illusion*), considerado una auténtica obra maestra. Su verdadero valedor fue el mítico cineasta Erich von Stroheim, que le enseñó los grandes secretos del cine, y la protagonista de sus primeras películas fue su propia esposa, la actriz Catherine Hessling.

Jean Renoir pasó por los más diversos estilos y más variadas estéticas en su cine, siempre desde una visión particular y realista sobre la sociedad, especialmente en sus primeros títulos, como *La golfa* (*La chienne*) en 1931 o *Boudu, salvado de las aguas* (*Boudu sauve des eaux*) en 1932, donde de una manera tan directa como original reflejó la parte menos conocida de su país. A partir de entonces, comenzó una especie de cruzada política a través de sus películas denunciando el avance del capitalismo y del consumismo en contra de los valores humanos. En este periodo destacan especialmente *La vida es nuestra* (*La vie est à nous*), rodada en 1936, y *La Regla del Juego* (*La règle du jeu*), probablemente su obra más emblemática, filmada en 1939. Ese mismo año, el director francés abandonó su país natal para exiliarse a los Estados Unidos y nacionalizarse estadounidense, pero después de realizar el estremecedor alegato contra la guerra y el fascismo en *Esta tierra es mía* (*This earth is mine*), en el año 1943, donde un soberbio Charles Laughton interpreta de manera magistral a un profesor cobarde que se convierte en todo un héroe, Renoir se enfrenta a la rígida industria cinematográfica de su país de adopción y abandona Norteamérica para viajar a la India y adaptar a la pantalla la versión cinematográfica de la autobiografía de Rumer Godden, *El río* (*The river*), en 1952.

De nuevo en tierras galas y después de embarcarse en el rodaje del filme *French Can-Can*, Jean Renoir regresó a la literatura y escribió un libro sobre la vida y obra de su padre, *Renoir* (1962); su autobiografía, titulada *Mi vida y mis filmes* (1974), y algunas novelas de ficción, antes de fallecer en 1979.

«Al conocerlo pensé que era un elefante color de rosa», declaró la actriz refiriéndose la ternura y delicadeza de su nuevo director. Tanto se volcó María en esta producción que los críticos, enamorados de la *vedette* de Montmartre, la acogieron con grandes elogios, enloquecidos por cómo bailaba la danza del vientre. Fue tal el poder de seducción de su ombligo, que tuvo que intervenir la censura gala. En cuanto a la película en sí, la crítica francesa no fue especialmente generosa, siendo mejor recibida en España. Lo indiscutible es que el *cancán* final es una extraordinaria secuencia que supera con creces a la de su análoga en el célebre filme *Moulin Rouge,* que John Huston dirigió en 1952.

El director quedó muy decepcionado con esta acogida de los críticos y con el resultado final del filme, a pesar de haber cuidado hasta el último detalle todas las imágenes, tal como si estuviera pintando uno de los cuadros de su padre, el célebre impresionista Auguste Renoir. De hecho, no falta quien dice que este título posee las pinceladas típicas de Auguste, aunque la personalidad de María exigió ser pintada al estilo de Matisse.

Años después, Jean Renoir escribió sus memorias, *Ma vie et mes films*, donde recordaba un desagradable incidente entre *La Doña* y su compañera de reparto, François Arnoul. Ésta, celosa de las atenciones que recibía *la Mexicana*, durante una escena de desaire aprovechó para darle un puñetazo gritándole «sucia extranjera». María tardó en reaccionar lo que se tarda en parpadear y le propinó una paliza que envió a la menuda Arnoul al hospital.

Lo realmente importante de *French Can-Can* es que marcó la cima de la fulgurante carrera internacional de María Félix. Además, sería uno de los trabajos que la actriz recordaría con mayor orgullo en su vejez.

El éxito la animó a repetir y decidió quedarse un año más en Francia para probar suerte junto al director Yves Ciampi en *Los héroes están cansados* (*Les héros son fatigués*), una película de aventuras ambientada en la posguerra, en la que dos pilotos coinciden en África años después de combatir en bandos enemigos y deben olvidar sus antiguas rencillas para encontrar un cargamento de diamantes. Pero lo cierto es que María Félix estuvo a punto de rechazar la oferta porque Simone Signoret, la gran actriz gala y esposa de su apuesto enamorado en la ficción, Yves Montand, exigió incluir una cláusula en el contrato que comprometiera a *la Mexicana* a no acostarse con su marido. Los productores hicieron retractarse a la señora Signoret, cuando comprendieron que María no iba a consentir una cosa semejante. Al final las dos temperamentales estrellas llegaron a hacerse amigas y durante las semanas que duró el rodaje acostumbraban pasar las noches juntas en unas interesantes veladas a las que se unía a menudo el célebre pintor español Pablo Picasso, amigo de los Montand. María no tenía buen concepto del principal representante de la escuela cubista, para ella era un «pesado y arrogante que acaparaba la conversación sin dejar hablar».

Cuando terminaron la película, el resultado fue el mismo que si de un drama negro de segunda mano se tratara: un desfile de caricaturas, un Montand de talante fiero, un Juergens de interpretación concisa, un Servails sórdido y una María sencillamente bella.

Definitivamente, era el momento de volver a México.

Capítulo XII

— La Revolución mexicana llega al cine —

Cumpliendo con su propio desafío de regresar aún más famosa, en 1955 *La Doña* irrumpió entre los suyos como si de una diosa se tratara. Parecía que la propia historia del cine se adaptara a su trayectoria profesional, pues su regreso coincidió con la explosión de un género que alcanzó gran fama y prestigio: el melodrama revolucionario en color y con un gran batallón de extras.

La Revolución mexicana ha sido uno de los temas más recurrentes del cine azteca. Testigos del movimiento, como el pionero Salvador Toscano Barragán, legaron imágenes testimoniales del conflicto, y mientras en Europa y Norteamérica se abría paso el cine de ficción, en México la temática revolucionaria acaparaba toda la atención de la industria cinematográfica entre 1910 y 1917. El conflicto armado no sólo contribuyó enormemente al desarrollo del cine mexicano, sino que además fue el primer gran acontecimiento histórico totalmente documentado en la pantalla. Tanto es así que la Primera Guerra Mundial fue retransmitida siguiendo el estilo impuesto por los realizadores mexicanos de la Revolución. El público se sentía atraído por el componente noticioso de estas películas, que han llegado a considerarse como antecedentes lejanos de los informativos televisivos. Y es que en su afán de ser fieles a la verdad y de transmitir los hechos con objetividad, los cineastas llegaban a filmar los preparativos de los bandos beligerantes y su encuentro en la batalla, del que curiosamente no solían dar el resultado ante la incertidumbre del curso de los próximos acontecimientos.

El cine nos enseña el pasado desde 1910: la caída de Porfirio Díaz, la toma del poder de Francisco I. Madero, la crisis constitucional o la sucesión presidencial de Lázaro Cárdenas en 1934, cuando la inestabilidad política del país comenzó a desaparecer. Cárdenas fue el primer presidente que se mantuvo en el gobierno durante seis años, el mandato establecido por la Constitución de 1917, y entonces empezaron a fraguarse películas que respondían a las medidas nacionalistas que impuso.

De la primera época cinematográfica revolucionaria sólo dos nombres se asocian simultáneamente con la historia del país y con la del propio cine: Pancho Villa y Emiliano Zapata; fruto de ello son los trabajos de Fernando de Fuentes, *Vámonos con Pacho Villa,* en 1935, y de Raúl de Anda, *Con los Dorados de Villa,* en 1939. Pero hasta ahora, el interés por la historia mexicana, por las raíces y la problemática social no se había hecho tan persistente. La Revolución mexicana no acaparó sólo la atención del cine, fue un común denominador en la temática artística global. En la literatura, la música, la poesía y la pintura, también incidió con particular protagonismo. Silvestre Revueltas, Xavier Villaurrutia, Carlos Pellicer, Salvador Novo, Diego Rivera, David Alfaro Siqueiros, José Clemente Orozco, Frida Kahlo y muchos artistas más conformaron el panorama artístico e intelectual del México moderno, haciendo alusiones reales o ficticias a héroes y heroínas exaltadas.

Emilio Fernández fue uno de los exponentes más sensibilizados con este asunto. De orígenes profundamente arraigados a la estirpe indígena, ya desde joven se mostró inquieto y rebelde involucrándose en 1923 en la revolución de Pancho Villa, que le dejó huérfano de padre y donde también combatieron sus hermanos. *El Indio* encontró un campo en el que explayarse, incluso tenía el apoyo de los políticos del próspero gobierno de Lázaro Cárdenas y del que sería su sucesor, Ávila Camacho.

Fue pisar México y María Félix, automáticamente, se convirtió en el rostro más emblemático del nuevo tributo a la Revolución, capitaneado por Roberto Gavaldón, que sería quien marcaría la pauta del nuevo cine. Sin más dilación, protagonizó *La escondida*, precisamente a las órdenes de Gavaldón, donde la lucha por la posesión de la tierra se entreteje con la lidia por la tenencia de la mujer a través de diferentes vidas cruzadas entre sí, en la que están presentes el amor, la Revolución, la venganza y la pasión.

Lo que más caracterizó a las películas de este período fue la absoluta discordancia con los valores originales de la Revolución mexicana. Desde que en los años 30 Fernando de Fuentes realizara *El compadre Mendoza* (1933) y *Vámonos con Pancho Villa* (1935), cuando las *soldaderas* eran mujeres sudorosas y polvorientas que no luchaban con pestañas postizas, la Revolución no volvió a contarse con fidelidad histórica. Estos filmes revelan que De Fuentes dominaba las técnicas norteamericanas de filmación y que, además, demostraba una sobriedad increíble para la época en el tratamiento del tema. De hecho, ambas películas son las únicas que no exaltan la gesta revolucionaria, y que incluso llegan a criticarla.

Este nuevo brote del género estaba completamente adulterado ideológicamente, hasta el punto que parecía haber olvidado completamente el conflicto de clases que promovió la revuelta, pero era el pretexto perfecto para lucir a una María Félix con vistosos sarapes.

No fue la distancia lo que terminó con el romance entre María y el prometedor Jean Cau. Cuando salió de París, ella ya sabía que jamás volvería a sus brazos, pero no quiso desilusionarle bruscamente. Él la escribía constantemente y, consciente de que ella nunca perdería tiempo en contestar, ideó un práctico sistema para calibrar el amor que le profesaba. Le enviaba cuestionarios en los que ella sólo tenía que marcar la respuesta: «¿Me amas?» SI/NO, «¿Me echas de menos?» SI/NO... No conocemos sus respuestas, pero sabemos que ya estaba afanada en una nueva e importante conquista: su cuarto marido.

Durante una cena en casa de su amiga Natasha Gelman, le presentaron al empresario francés Alex Berger, con quien se casó el 20 de diciembre de 1956. Finalmente, María encontró la felicidad en el seno de un matrimonio estable y duradero. Con Berger vivió sin presiones, divididos por sus responsabilidades profesionales y repartidos entre un acogedor apartamento en la elegante zona parisiense de Neuilly, junto a los campos Elíseos, y la nueva casa en el barrio mexicano de Polanco, que María compró tras la venta de la ostentosa mansión de Catipoao. Berger era partidario del lujo, del gasto y de disfrutar la vida; todo era poco para su *Puma*, como llamaba a María, pero no concebía complicarse en viviendas aparatosas e incómodas, él buscaba únicamente el bienestar.

Su enlace se prolongó dieciocho maravillosos años. El secreto del éxito estuvo en que, a diferencia de sus machos mexicanos, Berger no le impuso normas de conducta, no quiso domarla, no era mujeriego y no conocía los celos. Tanto era así que no sólo no se opuso sino que animó a María a reanudar una relación profesional con Agustín Lara.

Frank Fouce, propietario del Million Dollar de Los Ángeles les propuso trabajar juntos en su escenario. Pero a pesar de lo atractivo del contrato, María se negó en un principio a compartir la actuación con el que fuera su marido, y sólo las buenas artes de Berger consiguieron hacerla cambiar de opinión al recordarle que el pobre Lara aún estaba pagando un collar de rubíes que le había regalado cuando estuvieron juntos.

Sin embargo, *María Bonita* no tardó en arrepentirse de haber aceptado. Agustín Lara, celosísimo porque el público tenía más atenciones con ella que con él, saboteaba sus actuaciones cambiando el orden de las canciones, de manera que él tocaba *Granada* cuando ella cantaba *Solamente una vez*. Otra de sus tácticas era alternar el ritmo de las melodías, descompasando voz y piano. Como es lógico, María estaba atacada de los nervios y fumaba tanto que, de un día para otro, aborreció el tabaco, aunque no tardó en aficionarse a los puros de su marido. Obviamente, comenzó a fraguar su venganza y durante una actuación en la que Lara tenía que cantar *Acuérdate de Acapulco*, ella le ridiculizó delante del público riéndose a carcajadas.

Capítulo XIII

— Una antología del miedo —

Antes de involucrarse en otros proyectos cinematográficos, María Félix realizó una importante gira por Latinoamérica. Su recorrido estuvo lleno de anécdotas. En Caracas, por ejemplo, el obispo de la ciudad había advertido al público que los buenos católicos no deberían ir a ver la irreverente actuación de *la Mexicana*. Obviamente, la medida pastoral resultó la mejor de las campañas publicitarias para abarrotar la sala. Al día siguiente de la primera actuación de *La Doña* en la capital venezolana, los periódicos anunciaron la muerte por parada cardiaca del desdichado obispo. Una vez más se comprobaba que intentar detener a María Félix era una de esas empresas en las que se muere en el intento.

Otro cometido poco recomendable y con escasas posibilidades de supervivencia es sumergirse en el mar a sesenta pies de profundidad para visitar tiburones tigre, pero la actriz aceptaba todos los retos. Afortunadamente, estaba respaldada por el mismísimo Jacques Cousteau, con quien coincidió cuando llevó su espectáculo a Callao (Perú). Todo parecía seguro: el mítico oceanógrafo la invitó a descender a las profundidades marinas dentro de una campana de vidrio, pero uno de los tiburones les atacó inesperadamente y la campana sufrió severos daños, por lo que hubo que elevarla rápidamente por miedo a que se produjera una fatal descompresión.

Retomada la saga de los filmes *folclórico-revolucionarios*, en 1956 María Félix rodó *Tizoc* bajo la dirección de Ismael Rodríguez. Al principio la actriz no estaba interesada en la película, porque no le gustaba el título, pero el realizador la tentó diciéndole que ya era hora de que demostrara que era una verdadera estrella y que se involucrase en hacer otro tipo de trabajos. Así pues, los espectadores pudieron verla compartiendo cartel con el estimable Pedro Infante, pues el propósito del director fue reunir a dos gigantes del cine nacional y así reventar las taquillas.

El resultado fue costumbrista y un tanto decadente, en parte porque su argumento se basaba en un nimio malentendido que terminaba por enfrentar a dos culturas diferentes. *Tizoc*, también conocido por *Amor indio*, está considerado hoy en día como uno de los peores trabajos de Ismael Rodríguez, donde Infante quedó caracterizado como un indio con pocas luces.

Dos años más tarde llegó uno de los mayores éxitos-tributo a la revuelta mexicana, la obra absoluta de la Revolución. Nuevamente fue Ismael Rodríguez quien, por primera vez, consiguió reunir para compartir planos y en un mismo rodaje —cinco años antes, durante la filmación de *Reportaje* no coincidieron en ninguna secuencia— a las dos figuras femeninas más prestigiosas del cine nacional, María Félix y Dolores del Río, disputándose en *La Cucaracha* el amor de un hombre. No fue fácil, *La Doña* consideraba que su papel era ofensivo y manifestó muchos reparos. Una vez más, Ismael Rodríguez, hombre de paciencia infinita, le dijo que «ya había sido devoradora de hombres, y que ahora había que mostrar a una mujer mexicana de pelo en pecho, dura, valiente...».

—Creo que ya me gustó —consintió la Félix.

También fue la primera vez en que *La Doña* y Emilio Fernández formaron pareja artística como protagonistas. La puesta en escena iba a ser espectacular: una actriz de modales refinados y principescos, y otra enérgica, arrogante y mandona, convertidas en Isabel, una burguesa obligada a unirse al grupo de revolucionarios; y en *La Cucaracha*, una valiente *soldadera* que capitanea un grupo de mujeres armadas. El fracaso era impensable mostrando un duelo amoroso entre las dos glorias del cine del momento.

Durante una entrevista a Ismael Rodríguez se le acusó de hacer demasiadas concesiones a las estrellas, a lo que él contestó: «¡Concesiones!

¿Que hice concesiones? Mire, quisiera ver no a Griffith, o a Fritz Lang, o a Kurosawa, no; ¡quisiera ver a Dios dirigiendo a Dolores del Río y a María Félix juntas, a ver qué podía hacer! Y todavía dicen que hice concesiones. Reto al más salsa a que pase esa prueba; porque a ellas debe agregar usted a Emilio Fernández y a Pedro Armendáriz; mezcle todos esos elementos y sale... una antología del miedo.»

Pero Rodríguez sabía separar lo profesional de lo personal y mantener las relaciones dentro del plató y fuera del celuloide; él y María Félix compartieron una maravillosa amistad que llegó a culminarse con el amadrinamiento del hijo del director.

Lo realmente divertido de aquel periodo fueron los chismes que inventó la prensa, trasladando la rivalidad ficticia entre las dos divas a la vida real, sobre todo cuando el Club Deportivo Israelita y la Universidad Iberoamericana entregaron a la Félix el Menorah a la mejor actriz; cuando lo cierto era que desde el incidente en 1945 del certero intercambio de los guiones de *Vértigo* y *La selva negra*, ambas mantenían una relación perfectamente respetuosa y cordial, al menos en apariencia. Según el propio Ismael Rodríguez, «durante el rodaje llegaban y se saludaban con un beso, eran muy cariñosas. Aunque, si uno se fijaba bien, quién sabe qué estaría pensando cada una de ellas. En la película pasó algo gracioso: se grabó la escena cuando las dos se pelean y se golpean y ahí se desquitaron: se agarraron de verdad, se dieron duro. Entonces corté e inmediatamente se separaron. Las dos se preguntaban: *Hay mi hija, ¿te lastimé?* Y la otra: *No, no, ¿y yo te lastimé?* ¡Claro que las dos se lastimaron, pero se aguantaron!»

Lo más lamentable de esta película fueron las descaradas pretensiones machistas de las que se hicieron alarde, convirtiendo a la Revolución en una pintoresca pelea de gallos de corral, donde el único papel de las heroínas era exaltar la adoración del macho. La gran dama, por amor, sucumbe ante lo popular y la *soldadera*, poco femenina, necesita del macho para recordarle su condición de mujer.

Salvo al cubano Néstor Almendros, crítico de cine y exaltado admirador de Ismael Rodríguez, la obra decepcionó a los expertos, que la calificaron de «plana y vulgar», ahorrándose el despilfarro de justificaciones. Y es que no se aportaba nada nuevo ni al género de aventuras ni al melodrama. Se esperaba más que corrección en Ismael Rodríguez, no bastaba que la puesta en escena y la estética fueran convencionales, los exaltados delirios de grandeza que ya caracterizaban a Rodríguez, vaticinaban algo sobresaliente, y apenas arrancó críticas como la de Howard Thomson para el *New York Times* en la que decía: «No corra a verla, ni trote. Pero véala.»

La Cucaracha se estrenó en el festival de Cannes de 1958 y marcó el fin de la época dorada del cine nacional. A partir de entonces la calidad de las producciones se resintió de forma alarmante. El mundo estaba cambiando a pasos agigantados y el cine internacional reflejaba esas permutas, dejando al descubierto lo rutinario, vulgar y carente de inventiva que era el cine mexicano.

Precisamente en 1958, la Academia Mexicana de Ciencias y Artes Cinematográficas decidió interrumpir la entrega de los premios Ariel, que desde 1946 galardonaban a lo mejor del cine nacional, porque ya no había nada que distinguir y sólo se podía subrayar el estado de crisis de la industria. Hasta 1972 no volvería a concederse ningún Ariel, cuando el gobierno de Luis Echeverría pretendió mejorar la producción cinematográfica y adoptó como una de las primeras medidas la reconstitución de la Academia Mexicana de Artes y Ciencias Cinematográficas.

La década de los 60 se inició con el sano propósito de participar del incipiente cine de autor, con pretensiones intelectuales. Pero la demanda comercial era bien distinta y se abrió una brecha orientada a los tópicos más vendibles: sexo, acción y violencia.

Estamos en la recta final de la carrera cinematográfica de María Félix, un periodo muy fecundo en el que no todo fueron melodramas revolucionarios. En 1957 se rodó *Flor de mayo*, un trabajo de Roberto Gavaldón inspirado en la novela homónima del escritor valenciano Vicente Blasco Ibáñez. La primera intención de Gavaldón fue producir esta película en España, pero hubo problemas con la censura, así que cambiaron las originales playas valencianas por una isla desierta inexistente, y la filmación se realizó en Topolobampo. Lo realmente grave es que toda la fuerza dramática del guión original de Blasco Ibáñez desapareció con la adaptación del nuevo planteamiento, resultando una película mediocre. El fruto fue una intriga amorosa con brotes de pasión desenfrenada. María Félix y Pedro Armendáriz se compenetraron a la perfección, pero Jack Palance parecía estar haciendo otra película.

Ese mismo año María Félix rueda en España *Faustina,* a las órdenes del director José Luis Sáenz de Heredia, un arquitecto acusado de defender a capa y espada la ideología franquista después de rodar en 1941 el filme *Raza*, con guión del propio Francisco Franco. Pero, al margen de sus sentimientos y pensamientos políticos, cuando el realizador presentó *Faustina* sorprendió a los espectadores con una atrevida versión femenina del *Fausto* de Goethe. Mito perfectamente verosímil en la figura de María Félix, siempre joven y hermosa, pero en esta ocasión no demasiado relevante en el celuloide.

De nuevo en México, Roberto Gavaldón hizo regresar a la actriz a las pantallas nacionales con *Miércoles de ceniza*, devolviendo a la heroína como una mujer viciosa y resentida, en este caso porque había sido violada por un cura.

El argumento está presentado a la luz de un espíritu confesional que da náuseas. La protagonista, Victoria Rivas, es continua e indirectamente comparada con María Magdalena, hasta que al final del filme, en el último diálogo, el doctor Federico Lamadrid (Arturo de Córdova) ofrece una alegoría en la que de viva voz la equipara con la Magdalena. En el diálogo, propio de Luis G. Basurto, se advierte la nostalgia por el clasismo, la categoría sanguínea y la servidumbre.

Benito Alazraki también probó fortuna obviando el protagonismo que tenían los tiros, y trasladó a los pretendidos protagonistas de las trincheras al *Café Colón*, escenario de espejismos burgueses que los revolucionarios deseaban obtener o, de lo contrario, destruir. La obra está cargada de un carácter cínico y reaccionario con final feliz: los protagonistas, la *vedette* y el embrutecido general zapatista, creen alcanzar su alucinación neoburguesa con ropas limpias y elegantes.

También en 1958 María Félix se incorporó a la filmación de *La estrella vacía*, una versión cinematográfica de la novela de Luis Spota llevada al cine por Emilio Gómez Muriel. En esta cinta la actriz se enfrenta y pacta con el diablo, ya que la obra narra la vida de una estrella de cine que vende su alma para triunfar. El resultado no recibió una buena crítica y la cinta aburrió. José de la Colina escribió para la revista *Política*: «Una película de María Félix es una película para que se vea a María Félix y toda, y toda otra intención es subordinada.[...] En ese sentido, María Félix era la mujer más indicada para interpretar una película con el título de *La estrella vacía*, porque nunca ha logrado llevar a la pantalla un soplo de verdad o de misterio femeninos.»

Ya en 1959, *La Doña* rodó *Sonatas (Aventuras del marqués de Bradomín)*, con su amigo Juan Antonio Bardem, tras una adaptación hecha por él mismo de las *Sonata de otoño* y la *Sonata de estío*, de Ramón María del Valle-Inclán. «Lo que yo he querido hacer», explica Bardem en sus memorias, «ha sido cambiar el signo de Bradomín, ese héroe negativo que es el feo católico y sentimental y transformarlo en un ser humano frente a otros seres humanos. Hacerle afrontar su realidad. Dejar que su conciencia entrase en crisis. En definitiva, hacerle participar plenamente de la vida que le rodea. Porque este marqués de Bradomín se ve también solicitado por ese amor al prójimo, por esa necesidad de coexistencia y de solidaridad humana, que es la idea central que siempre he preferido...».

La coproducción méxico-española se desarrolló en dos episodios: el primero, rodado en España, narra la vida de un marqués del siglo XIX enamorado de una mujer enferma; el segundo capítulo se traslada a México, donde por culpa de una conspiración política el desdichado marqués se ve obligado a huir. Es entonces cuando aparece María Félix, interpretando a la fogosa Niña Chole, que desborda la pasión de Bradomín.

Ésta es la búsqueda de la libertad de un español, en una época en la que el poder absoluto de una dictadura bloqueaba todas las salidas.

Hay que decir que la verdadera intención de Bardem fue adaptar *Tirano Banderas*, también de Valle-Inclán, para lo que se puso en contacto con el productor mexicano Manuel Barbachano Ponce, pero ante el temor de que tanto las autoridades españolas como mexicanas interfirieran en el proyecto, decidieron aplazar la inmortal obra protagonizada por un dictador y pasarse a las *Sonatas*. También es necesario recordar que la carrera del recientemente fallecido José

Antonio Bardem entonces estaba en su mejor momento; en la década de los 50 había estrenado con un gran éxito internacional tanto de crítica como de público los filmes *Esa pareja feliz* —codirigida con Luis García Berlanga—, *Muerte de un ciclista*, *Calle Mayor* y *La venganza*, que fue nominado al Oscar destinado a la mejor película extranjera, y se había convertido en un admirado fotógrafo de la sociedad de entonces. Pero después de *Sonatas* su filmografía dio un giro hacia una vertiente más política y radical, siempre comprometida con los ideales comunistas, partido al que perteneció el popular director, y los resultados de taquilla, a excepción de *Los inocentes* en 1962, le dieron definitivamente la espalda.

La siguiente aventura de María en la pantalla, *Los ambiciosos* (*La fiébre monte á El Pao*), fue engendrada por el genial cineasta Luis Buñuel —en el seno de una alianza con Francia—, y está inspirada en *La fiebre monte á El Pao*, novela del galo Henry Castillou.

Este filme empezó a rodarse con la resaca del éxito que Luis Buñuel obtuvo con *Nazarín* (1958), una obra maestra basada en una novela de Benito Pérez Galdós, cuya trama fue reconstruida en tierras mexicanas. Buñuel consiguió acercar sus ideas enfrentadas sobre religión y sociedad en el personaje Nazario, un sacerdote que cobra vida gracias a un espléndido Francisco Rabal. *Nazarín* recibió la Palma de Oro en Cannes y estuvo a punto de valerle el premio de la Oficina Católica de Cine, a lo que el genial realizador aragonés contestó: «Si me lo hubiesen dado, me habría visto obligado a suicidarme... Gracias a Dios, todavía soy ateo.»

Buñuel estaba dispuesto a continuar su buena racha con *Los ambiciosos*. El cineasta español tenía la oportunidad de dirigir a grandes estrellas internacionales como María Félix, Jean Servais y Gérerd Philipe, un galán muy querido por *La Doña,* que murió poco después de que rodaran su última escena de amor. A pesar de tan sonada proclama de actores, el resultado fue una película de trama amorfa y poco sostenible: luchas, intrigas penitenciarias, traiciones y revueltas contra una dictadura militar imaginaria. De nuevo, el héroe de valores idealistas se ve preso en una contradicción: el deseo irresistible por la viuda del déspota de su enemigo asesinado. Buñuel tuvo muchas discusiones con los productores, viéndose obligado a introducir tantos cambios en el guión que, al final, nada tenía que ver con el prometedor argumento original. Él mismo quedó muy decepcionado, considerando esta película como una de sus peores creaciones, convertida en un melodrama ideológico cuyo guión nada tenía que ver con la concepción original. Parece que Buñuel quiso decirnos que para vencer a una sociedad cruel e injusta hay que rebelarse frontalmente contra ella.

Es una pena que María Félix y Luis Buñuel no escribieran juntos algunas de las páginas más hermosas del cine mexicano a las que parecían estar destinados, porque el singular carácter y el inimitable ingenio de los que hicieron gala actriz y director hubieran dejado una gran huella en la pantalla. El realizador aragonés de Calanda (Teruel) había llegado al país azteca después de pasar toda una serie de vicisitudes que marcarían tanto su fortísima personalidad como el estilo de su cine. Primero dejó en Francia la primera gran prueba del surrealismo cinematográfico con *Un perro andaluz*, un cortometraje realizado en colaboración con su amigo el pintor Salvador Dalí. Después impuso sus ideas estéticas en 1930 con *La edad de oro*, donde plasmó en la pantalla una imaginativa y virulenta sátira anticatólica y antiburguesa. Buñuel se enfrentó entonces a los sectores más reaccionarios de la sociedad española, que consiguieron que este filme fuera prohibido. Dos años más tarde, en 1932, el director volvió a chocar de frente con la censura de su país natal cuando rodó el mediometraje *Las Hurdes, tierra sin pan*, donde recogía con gran realismo la España profunda, insólita y monstruosa, y las imágenes ofrecían un sarcástico contrapunto con un fondo musical formado por notas clásicas y de gran belleza (por ejemplo, una composición de Brahms arropaba las estremecedoras secuencias del entierro de un niño). Cuando estalló la Guerra Civil, el cineasta aragonés montó un documental titulado *España leal, en armas*, del que al parecer sólo se conserva una copia incompleta, y decidió tomar el camino del exilio. Después de trabajar brevemente en la Cinemateca del Museo de Arte Moderno de Nueva York y de rescindir su contrato con la Warner Bros, por discrepancias «irreconciliables» con la industria de Hollywood —en esta cuestión era del mismo parecer que María Félix—, Buñuel llegó a México en 1946, país en el que inició una nueva y fructífera etapa que, durante muchos años, fue considerada con cierto desprecio por algunos críticos, pero que actualmente es objeto de una intensa revalorización. Si bien es cierto que durante este periodo Buñuel tuvo que luchar contra unas durísimas condiciones de producción y lidiar en ocasiones con argumentos de una aplastante mediocridad, también es de justicia reconocer que su portentoso talento supo sobreponerse a todas estas adversidades hasta llegar a convertir todos los proyectos en los que se embarcaba, la mayoría de ellos por encargo, en originales películas llenas de crueldad y humor negro. Si dejamos a un lado dos filmes exclusivamente comerciales, como fueron *Gran Casino*, rodado en 1946, y *El gran calavera*, filmado en 1949, en la etapa mexicana de Buñuel encontramos una serie de películas realmente sobresalientes sin alejarse en ningún momento de los típicos melodramas aztecas, como *Susana, demonio y carne* en 1950 y *El bruto* en 1952, que se convirtieron, gracias a la genialidad de su director, en aceradas parodias de dicho subgénero. Y sobre todo merece la pena destacar *Él*, también de 1952, un título que se podría calificar como una sorprendente, obsesiva y cruel radiografía de la patología de los celos. Pero sin duda una de las obras más destacadas de este periodo es *Los olvidados*, que se convirtió en un estremecedor retrato del submundo infantil de los suburbios mexicanos, donde un grupo de niños embrutecidos malviven en condiciones miserables y crueles y donde, a pesar de la dureza permanente en toda la cinta, Buñuel supo deslizar convenientes apuntes de ternura y humor. Tras rodar *Nazarín* y el paréntesis español de *Viridiana*, Luis Buñuel también dirigiría *El ángel exterminador*, donde el surrealismo vuelve a campar en absoluta libertad, transformando esta película en una experiencia cercana a la más terrorífica de las pesadillas. En cambio, el delicioso mediometraje *Simón del desierto*, rodado en 1965 —no llegó a convertirse en largometraje por la falta de financiación y el director siempre le consideró inacabado—, narra con sarcasmo y humor negro la peripecia de un eremita tentado constantemente por un demonio con la apariencia de Silvia Pinal. El primer regreso de Buñuel a España se produjo con motivo del rodaje de *Viridiana*, en 1961, para gran parte de los espectadores su mejor obra. La historia entroncaba en cierta manera con *Nazarín*, ya que volvía a tratar de manera crítica el tema de la caridad cristiana, aunque en este caso la protagonista era una mujer (de nuevo la mexicana Silvia Pinal, una de sus actrices fetiches). El filme está considerado como un gran esperpento situado a medio camino de Goya y Valle Inclán, en el que Buñuel desliza con sutileza e ironía toda una simbología erótica (la partida de tute al final de la cinta hace referencia a un *menage a trois*) y sus obsesiones más fetichistas. Tras una nueva y breve estancia mexicana, Buñuel regresó a Francia donde rodó filmes tan interesantes como *Diario de una camarera*, *Belle de jour* y *La vía lactea*, un título eminentemente religioso y de clara voluntad herética. Después de viajar de nuevo a España en 1970 para rodar *Tristana*, una nueva adaptación de una obra de Benito Pérez Galdós que fue muy incomprendida en su momento, de ganar el Oscar a la mejor película extranjera tres años más tarde con *El discreto encanto de la burguesía* y de conseguir una auténtica obra maestra con su último filme, titulado *Ese oscuro objeto del deseo*, con el que demostró que seguía teniendo un espíritu tan joven y libre como cuando realizó *Un perro andaluz*, el legendario director falleció en México el 30 de julio de 1983.

A pesar de este fracaso profesional, María Félix y Luis Buñuel mantuvieron una sólida amistad, hasta el punto que años después de este encuentro la actriz confesó que hizo *Los ambiciosos* en honor a ese vínculo, pues ni a ella ni a Gerard Philippe les gustaba el guión. El director Luis Buñuel aún propuso una nueva aventura a *María Bonita*, un extraño reto titulado *El monje*, basado en una novela medieval del escritor inglés Mathew Gregory Lewis. Pero ningún productor se atrevió con el argumento que recogía las vivencias de un monje español tentado y vencido por una encarnación femenina del diablo, ni con un escabroso guión plagado de escenas necrófilas.

Capítulo XIV

— Entre cañones, metralletas y desnudos —

Tres superproducciones marcaron la última década de trabajo de *La Doña: Juana Gallo*, *La Bandida* y *La Generala*.

Después de sus éxitos internacionales, María se reencontró con su mentor, Miguel Zacarías, y le preguntó: «¿Por qué me has abandonado?, ¿por qué ya no me ofreces películas?» Entonces el director le prometió escribirle la mejor película de su vida y decidió aprovechar la popularidad que tenía el recuerdo de la heroína más importante de la Revolución, Juana Gallo, para escribir el guión. Fue la excusa perfecta para lucir a la Félix descamisada y bandera en mano, encarnando a una campesina de nombre Ángela Ramos que, al enterarse del asesinato de su padre y de su novio, se levantó en rebeldía contra el Gobierno federal. Ángela consiguió el apoyo de todo el pueblo y hasta algunos federales defendieron su causa. La tensa situación degeneró en la famosa batalla de Zacatecas y Zacarías fue acusado de haber plagiado escenas de clásicos *westerns* para recrearla. La crítica estaba decepcionada y no aceptó que la vida de la brava insurrecta sirviera de pretexto para volver al melodrama folclórico y pintoresco que ocultaba la verdadera esencia de la lucha. Y es que nadie como el zacatecano Ernesto Juárez para homenajear a Juana Gallo cuando compuso le compuso este corrido:

Entre ruidos de cañones y metrallas
surgió una historia popular,
de una joven que apodaban «Juana Gallo»
por ser valiente a no dudar.

Siempre al frente de la tropa se encontraba
peleando como cualquier «Juan»,
en campaña ni un pelón se le escapaba,
sin piedad se los tronaba con su enorme pistolón.

Era el «coco» de todos los federales
y los mismos generales tenían pavor.

¡Ábranla, que ahí viene «Juana Gallo»!,
va gritando en su caballo: ¡Viva la Revolución!
Para los que son calumniadores,
para todos los traidores,
trae bien puesto el corazón.

Una noche que la guardia le tocaba,
un batallón se le acercó,
sin mentirles a la zanja no llegaban
cuando con ellos acabó.

Otra vez que se encontraban ya sitiados
teniendo un mes de no comer,
salió al frente con un puñado de soldados
que apodaban «Los Dorados», y salvó la situación.

Por vengar la muerte de su «Chon» amado
por su vida había jurado conspiración.

¡Ábranla, que ahí viene «Juana Gallo»!

El siguiente trabajo de María fue *La Bandida*, cinta dirigida por Roberto Rodríguez en 1962. Tres elementos importantes conforman esta película: el mundo barroco mexicano, la figura y la belleza de María Félix y el machismo de Pedro Armendáriz. Es de lo único de lo que se compone el filme: primeros planos de los guapos protagonistas y planos generales arquitectónicos y costumbristas. La crítica ya ha dicho todo cuanto se puede señalar de este título cargado de provocaciones, traiciones y rivalidades amorosas y revolucionarias, tal como definió a la cinta Francisco Pina en el suplemento de *La Cultura de México de Siempre* el 27 de febrero de 1963: «Se trata de un desafortunado melodrama en el que lo siniestro se da la mano con lo grotesco.»

Por su parte Julián Soler quiso irrumpir en la industria con una comedia titulada *Si yo fuera millonario*, y recurrió al humorista venezolano Amador Bendayán para que fuera compañero de reparto de María Félix en una ficción de enredos y de herencias que se recrea en el absurdo y se desarrolla en Nueva York.

Siguiendo con los «géneros olvidados», Luis Alcoriza se atrevió a adentrarse por la vía del erotismo. Inspirado en la novela de Alphonse Daudet, *Safo*, publicada en 1884, donde el escritor dibujó las costumbres parisiense contemporáneas, en 1963 Alcoriza rodó *Amor y sexo* junto a la diva Félix y a Julio Alemán. La película narra la historia de una mujer madura que enamora a un médico, capaz de renunciar a su joven prometida por ella. De nuevo, el resultado está lejos de agradar al público, a pesar del desnudo de la protagonista y de las atrevidas escenas de cama, descaradamente forzadas y con diálogos carentes de toda naturalidad.

Fue la propia María quién sugirió la escena del desnudo. Después de treinta años púdica ante las cámaras, en el último momento decidió descubrirse, precisamente a sus cuarenta y nueve años. Y es que *La Doña* quiso retirarse demostrando que el mito de su eterna juventud era completamente cierto. Cuando el escritor y crítico cinematográfico Paco Ignacio Taibo le preguntó sobre este asunto, ella contestó: «Lo que debe discutirse es si lo que muestro es bello o no.» A lo cual Taibo apuntó que su belleza, vestida o desnuda, no era discutible. «Entonces no hay nada que discutir», sentenció ella. Además en este filme la Félix demostró una vez más que siempre estaba dispuesta a trabajar con los directores mexicanos que se habían labrado una carrera siguiendo la conciencia de su propia personalidad, y en este sentido Luis Alcoriza cumplía todos los requisitos, porque aunque había nacido en España emigró con su familia —sus padres eran actores ambulantes y de ideología republicana— a México siendo un niño cuando estalló la Guerra Civil española, y poco tiempo después se nacionalizaba mexicano. Alcoriza dio sus primeros pasos en el séptimo arte como colaborador de Luis Buñuel. Fue coguionista en los libretos de *Los olvidados*, *Él* y *El ángel exterminador,* y compartió con el legendario realizador aragonés su afición por el sarcasmo, su iconoclasta sentido de la vida y el gusto y la defensa del surrealismo. Su primer título como realizador fue *Los jóvenes*, y con él abrió la puerta a una filmografía tan irregular como excesivamente personal, en la que no faltan películas realmente notables. Seguramente su filme más popular sea *Mecánica nacional*, una sátira cinematográfica coral rodada en 1975, cuyos protagonistas son los componentes de una caravana de domingueros que asisten a un *rally* automovilístico. Las películas de Alcoriza desprenden crueldad, humor negro y ciertas dosis de humanidad, como puede comprobarse en otros títulos dignos de mención, como *Tiburoneros*, *Las fuerzas vivas* y *Terror y encajes negros*, una curiosa pieza convertida en objeto de culto para los amantes del género de terror. En 1981, Luis Alcoriza se trasladó a España para rodar su primera película en el país que le vio nacer, el filme se tituló *Tac, tac...* y tenía una clara vocación feminista. Pero su mala acogida por parte del público y de la crítica motivó que el director no volviera a dirigir un largometraje con dinero español hasta 1990, año en el que rodó *La sombra del ciprés es alargada*, una interesante adaptación cinematográfica de la célebre novela del escritor Miguel Delibes que fue, además, su último trabajo antes de fallecer en 1992.

La fórmula justa tampoco resultó ser la comedia revolucionaria por la que apostó Rogelio A. González en 1965, con *La Valentina* cuya protagonista es una mozuela llamada Valentina, personaje interpretado por una espléndida aunque ya no tan joven María Félix, que enviuda la mismísima noche de bodas. Para superar la tristeza y la soledad que le abaten, tiene una aventura con un contrabandista. El guión al que tuvo que enfrentarse la actriz en esta ocasión era un caos tan grande que el público no supo interpretar si el filme era gracioso, dramático o, simplemente, una bufonada.

A pesar del abrumador éxito en taquilla, pero decepcionada una vez más con el resultado artístico de *La Generala*, de Juan Ibáñez, y aburrida de interpretar mujeres desalmadas, violentas y revolucionarias, María Félix decidió retirarse temporalmente, o al menos así lo creía ella, de la gran pantalla. Sin embargo, un par de años más tarde sintió nostalgia de las cámaras y aceptó la propuesta de Miguel Alemán Velasco para participar en *La Constitución*, una telenovela histórica que esta vez sí fue el último trabajo profesional de *La Doña*.

Realmente María Félix fue una figura cinematográfica extraordinaria. Su gran éxito y popularidad se debieron no tanto a sus dotes interpretativas como a su imponente presencia y a su descomunal belleza, con la que llenaba toda la escena. La gran pantalla no era sino un marco para encuadrarla. En su cine, la estrella era lo verdaderamente importante, la trama y los personajes que la rodeaban sólo eran adornos que aparecían en un plano muy secundario. Pero ahora el cine era diverso, México tuvo que sumarse a la vanguardia que experimentaba el séptimo arte en todo el mundo. La Universidad Nacional Autónoma de México (UNAM) puso en marcha un importante movimiento en favor del cine de calidad y en 1963 fundó el Centro Universitario de Estudios Cinematográficos (CUEC), primera escuela oficial de cine del país. Las nuevas perspectivas crearon una importante corriente de cine independiente, y llegó el Concurso de Cine Experimental de Largometraje, del que salieron nombres como Alberto Isaac, Juan Ibáñez, Carlos Enrique Taboada y Sergio Vejar. Sus trabajos constituyeron el cine de calidad durante los años 60, pero también supusieron el alejamiento del público, y *María Bonita* se debía a su público, que seguía su imagen más allá de las pantallas, y a sus espectadores más incondicionales.

Las nuevas generaciones se constituyeron como audiencia fundamentalmente televisiva y la telenovela resultó la evolución del melodrama, ahora mucho más largo y enrevesado. Ya no había sitio para un personaje como *La Doña*, porque desgraciadamente la pantalla se le quedó pequeña.

Sin lugar a dudas, la historia del cine mexicano no sería la misma sin María Félix, porque ella fue la Historia en sí misma. No obstante, su carrera no lo fue todo; tras su retiro cinematográfico se evidenció la fusión que se había creado entre la actriz y la mujer de carne y hueso, entre *la devoradora* de detrás del telón y la ex señora de Lara, Negrete y el millonario Berger, amante de Pasquel, Carlos Thomson y Luis Miguel Dominguín... Y es que, como dijo el Premio Nobel de Literatura Octavio Paz, «la gran película de María Félix es María Félix».

Capítulo XV

— Laberinto de pasiones —

Con Berger María Félix compartió amor, dinero y aficiones. No le pesaba su retirada del cine, principalmente porque se sentía desmotivada por la pésima calidad en la que había incurrido la industria nacional. No obstante, en tres ocasiones estuvo tentada de volver. Carlos Fuentes sorprendió a la crítica y a los lectores en 1967 con la novela *Zona sagrada*, una controvertida obra donde la protagonista, Claudia Nervo, parecía totalmente el reflejo ficticio de María Félix. La acción está narrada por el hijo de Claudia, un tortuoso joven de veintinueve años enamorado de su madre. Los productores, seducidos con la novela, decidieron preparar adaptaciones cinematográficas. Por entonces, Enrique Álvarez Félix ya era un actor consagrado y se publicó la noticia de que *La Doña* y su hijo estaban dispuestos a trabajar juntos, interpretando los papeles principales. Aún no se había firmado un solo contrato y bastó el escándalo del morboso anuncio para convertir el proyecto en un gran éxito.

Tal vez María nunca se pronunció realmente sobre la obra, y tal vez si lo hizo recapacitó después sobre las implicaciones que pudiera tener para la imagen de su hijo, pero lo cierto es que la historia nunca llegó al cine. Carlos Fuentes tiene una versión bastante personal, política y extracinematográfica de lo que realmente sucedió: «Estaba todo listo para empezar a rodar a principios de 1969. Entonces yo regresé a México e hice una declaración contra el presidente Díaz Ordaz y su venganza fue mandar cancelar la producción de la película.»

En marzo de 1981 María Félix revelaba: «Haré *Toña Machetes.*» La entonces directora general de Radio, Televisión y Cinematografía, Margarita López Portillo, aprovechó su posición para rescatar del olvido su novela *Toña Machetes* y se decidió a producir una película sobre la misma. La propuesta para interpretar al personaje principal recayó sobre *La Doña*, que aceptó gustosa. La autora, emulando a Rómulo Gallegos y queriendo acrecentar el caché de su historia, aprovechó la coyuntura y declaró haber escrito el personaje precisamente para la Félix, aunque nadie la creyó y la tildaron de oportunista.

Pero poco tiempo después determinados incidentes truncaron las buenas relaciones entre la estrella y Margarita López Portillo, entre ellos el hecho de que en el último momento la escritora decidiera quitarle la dirección a Raúl Araiza y dársela al español Carlos Saura, cuando se trataba de una película netamente mexicana. María no pudo tolerarlo y dio al traste con el proyecto, quedándose con el millón de pesos que había cobrado por adelantado.

Toña Machetes se rodó algún tiempo después, con otro guión, otro equipo de actores, encabezado por Sonia Infantes, y otro director.

La última iniciativa frustrada de rescatar a la diva para el cine nacional partió del director Jaime Humberto Hermosillo, que había decidido llevar a la gran pantalla la novela de Henry James *Los papeles de Aspern* en una adaptación que llevaría el título de *Insólito esplendor*. La obra de Hermosillo se convirtió en referencia obligada para los interesados en el análisis de la conducta social del México contemporáneo. A pesar de proceder de un entorno conservador, este joven director se mostraba encrespado con la hipocresía de una clase media «perversa». Ya en sus primeros cortometrajes, *Homesick*, rodado en 1965, y *S. S. Glencairn*, realizado en 1969, Jaime Humberto Hermosillo presentaba sus más crispantes preocupaciones: la familia acomodada, la sexualidad y la ruptura del orden moral. Estas constantes, consideradas transgresoras, fueron el detonante que motivó el desacuerdo entre el director y los productores, que abortaron el proyecto de *Insólito esplendor*.

Aunque de forma y manera absolutamente oficiosa, lo cierto es que hubo un anuncio más del regreso de *La Doña* al celuloide. El 28 de diciembre de 1997, día de los Santos Inocentes, el diario *La Jornada* difundió un falso rumor que recogía la intención de María Félix de volver a la gran pantalla de la mano del director francés André Techiné, con quien tenía proyectado filmar *Enamorada en París*. «No será autobiográfico pero tendrá algunas cosillas verdaderas» sobre cómo fue la vida de la actriz en la capital francesa. Las declaraciones de la estrella, cómplice de la inocentada, explicaban que la historia iba a mostrar a los mexicanos cómo era el «mundo que me rodeó cuando fui la reina de los hipódromos europeos». «André quería conocerme porque me admiró desde siempre», había declarado la actriz, haciendo alarde de sus más convincentes dotes interpretativas. «La idea de hacer una película juntos surgió como un chiste: Techiné quería filmar mis travesuras parisienses en los años cincuenta, porque le parecía fabuloso todo lo que yo había logrado en esa ciudad.»

Normalmente, una vez que una broma ha sido efectiva, se comunica inmediatamente la verdad. Pero en esta ocasión el periódico *La Jornada*, posiblemente favorecido por la repercusión de tan sonada exclusiva, se vio tentado a mantener en secreto la falsedad de la información más tiempo del necesario. La reacción fue inmediata. Los más importantes diarios de la región se hicieron eco de la proclama y anunciaron a toda página el regreso al cine de la legendaria actriz, tras veintiséis años de ausencia.

Cerrado el paréntesis de sus proyectos frustrados, hablemos de la nueva pasión de María Félix. Cuando se casaron, Berger le regaló su cuadra con ochenta y siete caballos que competían en concursos de salto y carreras. La dedicación con la que se volcó *La Doña* en el cuidado de sus purasangre convirtieron a la, desde entonces, «Cuadra María Félix» en la más importante de Francia. Enganchada al éxito, no podía prescindir de él por el simple hecho de estar retirada del cine y convirtió sus caballerizas en un útero de ganadores.

Venció en muchas de las grandes competiciones hípicas europeas del momento: el Derby de Irlanda, el Grand Derby francés del Jockey Club, el Prix Round Point, el Steeplechase de París..., e incluso se instituyó un premio en honor a uno de sus mejores saltadores de obstáculos, Chakansoor.

La actriz pasaba la mayor parte del tiempo entre los caballos, viajando con Alex y entregándose a su vida social. Su principal preocupación era su matrimonio, alcanzar la gloria conyugal que tanto se le había resistido. Y cuando por fin consiguió hacer realidad el sueño que había perseguido durante tantos años, confesó la táctica empleada: «hacer ciertas concesiones» al marido y «mantenerse atractiva».

Pero en el año 1974 se iba a truncar su dicha. Cada seis meses María volvía a México para renovar su visado y aprovechaba gustosa para estar con su nonagenaria madre, ahora instalada en su casa de Polanco. En la última visita, doña Josefina perdió el equilibrio y se cayó por las escaleras; afortunadamente todo quedó en un susto, pero María tenía que volver a París y le advirtió que caminara con cuidado, a lo que ella contestó: «No te apures, si me tengo que ir yo te espero.»

Un par de meses más tarde, María consiguió reunir a toda la familia en México. La abuela estaba encantada y pidió organizar una cena con Alex y con Quique. La velada concluyó con la bendición de la anciana pero, en vez de trazar con el dedo el signo de la cruz sobre la frente de su hija, Josefina empleó la uña. Ante la protesta de María le contestó: «Es para que te dure» y se retiró a su cuarto. Minutos más tarde la hallaron plácidamente muerta.

Alex no tardó en acompañar a su suegra, aquejado de un cáncer de pulmón. Murió el 31 de diciembre de 1974 en el Hospital Americano de París. Fue el peor golpe que María tuvo que encajar desde la pérdida de su hermano Pedro. Le superaba el dolor, se encerró a solas y se abandonó al llanto y a la depresión durante un año. Al borde de la locura y la inanición, su poderosa fuerza interior la rescató de las tinieblas y le devolvió a sus caballos y a la vida pública.

Pero lo que realmente necesitaba *María Bonita* era un amor joven que la vivificara. Sus sesenta años no habían eclipsado su belleza e inmediatamente llegó a su vida un apuesto joven treinta y ocho años menor que ella, de quien nunca quiso desvelar su identidad. Pasó por su vida fugazmente, pero cumplió bien con su cometido: María Félix brilló de nuevo en sociedad, volvió a codearse con las celebridades parisiense y mexicanas, siempre recia, autónoma, orgullosa y combativa, siempre bella.

Capítulo XVI

— Su último amor —

A estas alturas, *La Doña* sabía perfectamente lo que buscaba: «un hombre joven y guapo que además sea inteligente, tal vez un pintor». Dicho y hecho; una noche de diciembre de 1981 conoció a Antoine Tzapoff. Él, descendiente de inmigrantes rusos, veinte años más joven que la diva, la conquistó con su cultura y su talento, con sus lienzos sobre los indios de Norteamérica y su interés por pintar indios mexicanos. Con tal fin, recorrieron juntos la República Mexicana y Antoine le prometió «pintarla cada día más joven».

«María es una leyenda. Para mí —declaraba Tzapoff—, un personaje de una novela de Guy de Maupassant o de Honorato de Balzac, o como una imagen arrancada de un lienzo de Botticelli; sin embargo, es una persona de carne y hueso.» Y ella decía: «No sé si es el hombre que más me ha querido, pero es el que me ha querido mejor.» «La mejor manera de amar a alguien es aceptarlo tal como es, eso es lo que nosotros hacemos. No es fácil, pero sólo amar a los pendejos es fácil.»

Ella volvió a fijar su residencia en México y, aunque pasó largas temporadas con Antoine en París, ninguno renunció nunca a su libertad. Cuando no estaban juntos él la llamaba todas las mañanas, en lo que ella bautizó «la hora soñada». Su vida volvía a ser un hervidero, le gustaba rodearse de personas cultas a las que invitaba a su casa para beber champaña y degustar exquisiteces francesas. Tuvo que vender su cuadra porque llegó un momento en que no pudo continuar ofreciendo a los caballos toda la dedicación que merecían, ahora más volcada en las antigüedades y en los muebles de época. Se sumergió en los catálogos y en el mundo de las subastas. Por una cuestión emotiva, sentía especial debilidad por las cerámicas de Jacob Petit, porque cuando era pequeña sus hermanos le regalaron un perrito de cerámica con las iniciales J.P. en su base. Aunque entonces no sabía lo que significaban, más tarde llegó a reunir una importante colección de jarrones de Jacob Petit con las cuatro catedrales de México dibujadas en ellos, una vajilla y una cómoda de Meissen de porcelana del siglo XIX. ¿Y qué decir de la platería? Ella misma pensaba que «los mexicanos tenemos la enfermedad de la plata», lo que justificaba los candelabros, juegos de té, jarras, marcos y hasta un cabecero que le diseñó Diego Rivera en exclusividad.

En la capital francesa no perdía la ocasión de buscar tesoros en el mercado de Clignancourt, al norte de la ciudad. Adoraba perderse entre los callejones donde los anticuarios tenían sus polvorientos cubículos; en México no podía pasear por la calle, pero en París pasaba más inadvertida.

Cuando se aburría de un estilo, lo subastaba todo y compraba muebles nuevos, como sucedió cuando vendió su mobiliario Segundo Imperio de su casa de Neuilly tras la muerte de Berger. En 1987 compró una fastuosa residencia de verano en Palmira, Cuernavaca. La mansión fue construida por uno de los más importantes arquitectos mexicanos, Pepe Mendoza, famoso por su estilo europeizado y de especial influencia italiana. El palacio fue más conocido como «Casa de las Tortugas», pues era el motivo decorativo protagonista y deliberadamente reiterado en cada rincón. María eligió este galápago porque le tenía especial admiración y cariño. Los había en el frontón de la fachada dibujados con mosaico veneciano, en las vidrieras, reproducciones de unos dibujos de Antoine Tzapoff, y hasta en el pasamanos de la barandilla. En los tres mil metros habitables, María diseñó cuatro salones: el chino, el veneciano, el portugués y el de los arcos (mezcla de varios estilos). Todos y cada uno de los objetos que adornaba su hogar en Cuernavaca eran dignos, por históricos y por bellos, de un museo. Llegó a poseer menaje estilo

Napoleón III, tapices y cortinas pintados a mano, muebles decorados con miniaturas de porcelana también pintadas a mano, cómodas chinas del siglo XVIII, un gabinete indoportugués de carey y nácar de finales del siglo XVII, sillones del barroco italiano, un armario español del siglo XVI procedente de la Cartuja de Granada, etc. Pero sobre todo lucían en lugar preferente los trofeos que había ganado con sus caballos y los cuadros de su admirado Antoine, entre ellos la decena de retratos que le pintara para demostrarle su amor, pues como él decía no sabía expresárselo de manera más explícita y sincera.

Invirtió once años en culminar esta gran obra de la que supervisó hasta los detalles más nimios.

En definitiva, la principal ocupación de María Félix residía en el cuidado de sus casas, en conceder entrevistas y aparecer en televisión. Seguía acaparando toda la atención; por ejemplo, como invitada en el programa de Verónica Castro, consiguió mantener el liderazgo de audiencia durante cuatro horas consecutivas.

Cuando viajaba a París aprovechaba para visitar exposiciones de arte, visitar a sus amigos y actualizarse en materia de moda. Merece una mención especial el hecho de que en 1984 la Cámara Nacional de la Moda Italiana y la Federación Francesa de la Costura la eligieran una de las mujeres mejor vestidas del mundo. No discutimos su porte, pero tampoco sabemos calibrar el mérito a tal reconocimiento, teniendo en cuenta que, desde el principio de su carrera, *La Doña* no concibió ser vestida por otros que no fueran los grandes diseñadores del momento. Lució modelos de los mexicanos Beatriz Sánchez Tello, Armando Valdés Peza y Tao Itzo, y en Europa completaron su guardarropa el fabuloso diseñador de zapatos Roger Vivier, Marcel Escoffier, Jean Desees, Irene Karinska, Christian Dior, Coco Chanel, Valentino, Givenchy, Bijan, Yves Saint Lauren y Balenciaga. La casa Hermes, especializada en sedas y pieles, le diseñó en exclusividad todo su vestuario ecuestre, y todo ello sin mencionar su colección de pieles únicas: abrigos de pantera de Somalia y de China, leopardo, chinchilla...

El resto del tiempo, María Félix lo dedicaba a la recolecta del fruto sembrado en el cine nacional. En 1989 el gremio de Periodistas Cinematográficos de México (PECIME) le otorgó el trofeo «La

Diosa de Plata», como reconocimiento a su carrera artística, y el presidente Carlos Salinas de Gortari la condecoró con la medalla «Ciudad de México». En 1992, una marea de homenajes conmemoraron el quincuagésimo aniversario de su debut en el cine y recibió un premio ANDA de Oro.

Dos años más tarde consideró un nuevo proyecto: publicar su autobiografía. No había consentido a ningún biógrafo contar sus secretos hasta que Enrique Krauze, director de la editorial Clio, le brindó su grabadora para que la propia María Félix explicara cómo una chica de Sonora se convirtió en leyenda viviente, en devoradora de hombres, en *La Doña*, en *María Bonita*, en *La Mexicana*. En definitiva, la Félix contó sin reparos «Todas mis guerras», y la obra inmediatamente se convirtió en uno de los libros más vendidos en México.

CAPÍTULO XVII

— LA PÉRDIDA MÁS LLORADA —

EL 24 de mayo de 1996 sería una fecha que se grabaría con fuego en el corazón de María, porque una vez más la fatalidad volvió a golpearla muy duramente. Estaba en París cuando recibió la desgraciada y sorprendente noticia de que su hijo había sido víctima mortal de un ataque al corazón.

Quique había sido su mayor cómplice. Desde que lo rescatara de la tutela de su padre y primer marido, la actriz tuvo que pelear mucho para educarle, porque su abuela paterna lo tenía muy malcriado. María comprendió que ella no tenía tiempo para inculcarle la disciplina de la que adolecía y resultó que recuperar la patria potestad de su vástago le supuso el sacrificio de volver a alejarlo de su lado para internarlo en colegios importantes que le ayudaran a labrarse el futuro como un hombre de provecho.

Enrique le agradeció el sacrificio convirtiéndose en un hombre bueno, responsable, trabajador... y en su mejor amigo.

Cierto día llegó a casa planteándole a su madre que quería ser actor. Ella intentó disuadirle: «Vas a tener que ser mejor que yo, más inteligente y más disciplinado para que te acepten, o de lo contrario vas a padecer un rechazo.» Quique insistió y entonces María le retó a terminar su carrera de Ciencias Políticas en la Universidad Nacional Autónoma de México. Si se graduaba, no volvería a inmiscuirse en sus planes y podría hacer o dejar de hacer lo que quisiera con su vida.

La claridad vocacional de Enrique Álvarez y la disciplina aprendida le convirtieron en un actor de primera a ojos de su madre y de su público, más acostumbrado a verle en el teatro, donde llegó a representar obras tan clásicas e inmortales como *Drácula*, *El hombre de La Mancha*, *Mame* o *El retrato de Dorian Gray*, y en la televisión que en el cine. Sus apariciones más destacadas en el celuloide fueron *Simón del Desierto* (1965) y *Los caifanes* (1966). El primer trabajo fue un drama surrealista de Luis Buñuel, que convertía la historia de Simón el estilita, más de seis años penitente sobre una columna, en una extraña parodia en la que el diablo le conseguía tentar al mortificarlo y llevarlo a un cabaret en Nueva York. Por su parte *Los caifanes*, a pesar de ser una comedia costumbrista, fue un trabajo más serio de Juan Ibáñez, quien ofreció a Enrique la oportunidad de ser el protagonista de la historia. La obra se convirtió en la más popular de las cintas «de aliento», nombre con el que bautizaron al cine cuyo objetivo era romper las corrientes convencionales de la propia industria.

María se reconoció marcada por todos los hombres de su vida. De Lara adoraba sus canciones, de Negrete que la convirtiera en princesa, de Alex Berger añoraba que era su alma gemela y de Tzapoff amó su presente, sus pinturas, su preocupación por los indígenas, por los animales, los museos y todo cuanto le enseñaba día a día. Pero sobre todos ellos amó a su hijo, porque «era un ser hermoso y tenía mucho sentido del humor». «Para mí ha sido un momento muy duro el que mi hijo Enrique haya desaparecido. Es muy duro porque él era un compañero, era una persona fabulosa conmigo; realmente la vida me pegó muy duro ahí. Yo, que estoy acostumbrada a que me vaya bien, ahí me pegó muy duro la vida.»

La Doña ya tenía ochenta y un años y era consciente de que no le quedaba demasiado tiempo, no podía permitirse el lujo de entregarse a la adversidad, tenía que aferrarse a la vida más que nunca y exprimirle hasta la última gota; ella sabía que se lo debía a su propio hijo. Desde que dejara el cine había optado por ser fiel a su personaje, era consciente de que en torno a ella se había creado un mito y sintió que su mayor responsabilidad era seguir respetándolo, aun en la adversidad. Volvió a conseguir la proeza de que su in-

María Félix en su espléndida madurez.

«Yo creo en la suerte y en mi fabuloso destino. Mi destino estaba marcado con muchas estrellas» (María Félix en un fotograma de *La cucaracha).*

«A mí todo se me dio fácil, ¡todo! Yo nunca tuve que luchar por nada, ni por tener dinero ni por tener trabajo. Sólo luché para aprender mi oficio» (María Félix en un fotograma de *La monja alférez*).

«Conocí el amor loco, la pasión sin freno, pero me duraron poco, porque a esa tensión, a esos voltios, a esa temperatura de 40 grados no se puede ir mucho tiempo» (María Félix en un fotograma de *La Bella Otero).*

«Yo bajé a los infiernos y hablé con el diablo» (María Félix en un fotograma de *La generala).*

«De algún modo seduje a la gente. Incluso a la que reprobaba la conducta de mis personajes» (María Félix).

«Con la imagen que el público se ha hecho de mí, no hubiera podido vivir. Tuve que crear mi propia imagen para no perder el equilibrio» (María Félix en un fotograma de *La noche del sábado).*

«Un éxito de varias décadas no es cuestión de suerte, es cuestión de agallas» (María Félix en un fotograma de *La mujer de todos).*

«No cuento los años. Sólo me limito a vivirlos» (María Félix en un fotograma de *Amok).*

«En la vida no basta con ser bella. Hay que saber serlo» (María Félix).

terior, su alma, no asomara al rostro para que su belleza siguiera sin estar profanada.

Tras su retiro se le relacionó con varios proyectos importantes, pero nunca aceptó ninguno de ellos, aunque no era extraño encontrarla en algunos programas televisivos concediendo entrevistas y ofreciendo su opinión y visión particular sobre determinados temas. Además había cambiado su afición a los caballos por la pintura y siguió comprando cuadros hasta llegar a reunir una colección tan importante, que fue requerida por algunas de las salas más renombradas de Europa y Norteamérica para montar exposiciones.

Por aquellos años, *La Doña* se empapó de vida acometiendo una tarea muy especial, una ofrenda para su hijo. Publicó un libro, titulado *Una raya en el agua*, en el que recogía la colección más completa de sus fotografías, una recopilación que Enrique, su principal admirador, atesoró cuidadosamente durante toda su vida. En la obra incluyó una conmovedora carta que ella tenía previsto dejarle cuando muriera, incapaz de prever que su hijo se le anticiparía. *Una raya en el agua* fue su autobiografía en imágenes, prologada por las emotivas palabras de Octavio Paz, que señaló que María Félix había nacido dos veces: «Sus padres la engendran, luego ella se inventa y vuelve a nacer.»

Tampoco podía olvidarse de su amado Antoine y en 1997 inauguraron una exposición con una colección de pinturas que él le regaló: *Cuando la danza se vuelve rito. Los Indios de México*. La muestra recorrió varios museos nacionales, visitó España y concluyó en La Casa de la América Latina en París. En agosto de ese mismo año aún tenía fuerzas para viajar de nuevo a la Península Ibérica, esta vez como invitada de honor del primer Festival de Cine de Madrid, donde se exhibieron todas sus películas españolas. La prensa alabó su ingenio, su agilidad mental y su apostura imperecedera.

La diva había vuelto a la vida como un torbellino y en 1998 sorprendió a todos los que llevaban décadas rumoreando su retorno al cine, cambiando de género: a sus ochenta y cuatro años grabó un disco.

Tras infinitos rumores sobre su ansiada y nunca consumada vuelta a las pantallas, María Félix dejó a todos con la boca abierta al presentar su trabajo discográfico, *Enamorada,* donde interpretaba trece temas escritos para ella, musa de musas: «están las palabras que mis enamorados inventaron para mí». Diez canciones en español compuestas por José Alfredo Jiménez, Agustín Lara, Ray Pérez, Chucho Monge y Carlos Gardel, y tres canciones francesas de Charles Aznavour, F. Cabrel y Gilbert Becaud. Sus fans echaron de menos *María Bonita* y ella, para dejar zanjado el asunto, explicó: «Me encanta, pero no es lo que yo debo cantar. ¡Me gusta que me la canten!»

Aunque María sabía que su fuerte no era su voz, «siempre he tenido una bonita voz de hombre», decía; sin embargo también reconocía no preocuparle demasiado esta circunstancia porque «mi disco tiene mucha alegría y estoy con mariachis, y con mariachis no canta mal nadie».

No son las únicas canciones que ha inspirado la diva. No olvidemos *Ella*, de José Alfredo Jiménez; *Oiga Doña*, de Cuco Sánchez, y la polémica canción que le dedicó Juan Gabriel, comparándola con la Virgen María, que hasta para la vanidad de María Félix resultó una exageración inapropiada. Por su parte, el público, como era de esperar, se ofendió ante el alcance de la blasfemia.

El joven francés de identidad desconocida que le ayudó a superar la muerte de Alex Berger escribió para ella la letra de *Je l'aime a mourir*. Según María, él quiso dedicarle un poema que la describiera. Tiempo después, cuando hacía años que había perdido la pista de aquel fugaz amante, escuchó una canción precisamente con aquellos versos. El tema llegó a ocupar los primeros puestos de la lista francesa de éxitos musicales.

Lo cierto es que María no se extrañó de esta anécdota: «Tengo un don especial para inspirar canciones bonitas.» Aparte de Agustín Lara, ya de moza, en Guadalajara, le dedicaron infinidad de coplas de amor.

El caso es que ahora competía en el terreno sonoro y tenía que estar bien presente en el panorama musical, así que no podía dejar pasar oportunidades como asistir a los conciertos más importantes, y el 6 de marzo de 2002 *La Doña* acudió al Auditorio Nacional para disfrutar de la actuación de Luis Miguel. El público coreaba baladas y boleros como *Bésame mucho* y Luis Miguel, advirtiendo su presencia, se arrodilló para dedicarle el tema. Al finalizar el acto, ella subió al escenario para saludarle ante las diez mil personas que llenaban el Palacio de la Reforma. Luis Miguel la besó en la boca, y ella ni pudo, ni quiso ocultar la hinchazón de su orgullo: «No fue un beso en la mejilla, le aclaro, Luis Miguel me lo dio en la boca. Fue un beso tranquilo, de amor y admiración. Me pareció muy bien. Ojalá se repita.»

Fue la última asistencia de María Félix a un evento público. ¿Quién iba podía intuir la tragedia? Jamás nadie contempló la posibilidad de que *María Bonita* no fuera inmortal.

CAPÍTULO XVIII

— ¡VIVA *MARÍA BONITA!* ¡VIVA *LA DOÑA!* —

LA madrugada del 8 de abril de 2002 *La Doña* sufrió un infarto que nos la arrebató. Se encontraba en su casa de Polanco, donde todo estaba preparado para festejar su ochenta y ocho cumpleaños.

Los mexicanos quedaron conmocionados con la triste noticia, se había ido un icono nacional. Los periódicos titulaban: «Murió *La Doña*, quedó la leyenda» (*La Jornada,* de México); «México perdió ayer buena parte de su patrimonio nacional» (*El País,* de España); «Se murió *La Doña*, una forma de feminidad deslumbrante» (*Le Monde,* de Francia); «México se queda sin su gran diva» (*El Mercurio,* de Santiago de Chile); «Ha muerto la más legendaria belleza del cine hispanoamericano del siglo XX» (*El Comercio,* de Lima); «Se fue *La Doña*, María de aquí a la eternidad» (*La República,* de Lima); «Ahora sí se acabó el siglo XX» (*La Crónica,* de México)... «Hay muchas muertes que significan el fin de una época corta, de duración media o larga, en la vida nacional, en la vida del país. La de Diego Rivera en 1957 fue una de ellas; la del general Lázaro Cárdenas en 1970, otra. La de María Félix marca el término de toda una etapa de México.» Sólo restaba llorar y despedir a una de sus máximas estrellas. Como premonición a esta muerte, algunos espectadores fueron testigos de un hecho insólito, ya que el mes anterior, y cuando la salud de la diva ya se veía enormemente deteriorada, la televisión emitió dos interesantes documentales sobre su vida, en los que ella misma había colaborado, y uno de ellos se despedía con su silueta reflejada en la penumbra, ajena a las cámaras y cantando: «Acuérdate de Acapulco, de aquellas noches, María bonita, María del alma...». Tal vez preparando un encuentro con las personas que más había querido y que ya la habían abandonado, adelantándose en una nueva aventura más allá de la vida terrenal.

La casa de María Félix fue cercada por un fuerte dispositivo policial que se encargó de cortar el tráfico cuando se decidió que los restos serían llevados al Palacio de Bellas Artes, improvisada capilla ardiente, para que el pueblo pudiera rendirle su último adiós. Dos días permaneció allí en su féretro sellado —en más de una ocasión había expresado el deseo de que nadie la viera muerta para que la recordaran tal como fue en vida—, con las puertas del palacio abiertas ininterrumpidamente para recibir a todos sus admiradores, entre ellos personalidades como el millonario Carlos Slim, el productor de televisión Ernesto Alonso; el gobernador de Veracruz, Miguel Alemán; el presidente de Televisa, Emilio Azcárraga Jean, figuras de la farándula, de la literatura y de todas las artes, y hasta el mismísimo presidente de la República, Vicente Fox, que declaró: «Ha habido pocas de su talla y de su calidad. Yo la admiraba mucho; simple y llanamente, es una gran pérdida para México y para todos los mexicanos.» Fox parecía haber olvidado cuando la diva le llamó payaso en público, evidenciándole por «ponerse de rodillas» ante el «mugroso» subcomandante Marcos de la guerrilla zapatista. La actitud de Marcos tenía tan indignada a la Félix que en marzo de 2001 declaró: «Estoy muy enojada porque ha venido un naco de fuera a ponernos de rodillas. Y esto no me gusta para nada; nos ha venido a insultar, ha venido a insultar a las gentes que nos gobiernan, a las gentes que verdaderamente sí trabajan, y nos ha venido a decir cosas muy feas y lo estamos aguantando y estoy furiosa por eso. ¿Qué le pasa a ese arrogante disfrazado?»

Aunque hubiera muchas otras cosas que alabar en la actriz desaparecida, el presidente Fox, además, tuvo la ocurrencia de apuntar que *La Doña* ayudó a promover el cambio democrático en México. No podemos evitar detenernos un instante en esta afirmación absolutamente carente de fundamento, a no ser que aludiera a su papel como protagonista de la lucha armada revolucionaria en el cine; María Félix nunca se caracterizó por participar en ninguna causa política y mucho menos manifestó una actitud pública vinculada a los cimientos populares. Precisamente era conocida por sus críticas a la ideología de izquierdas y por su afinidad con el Partido Revolucionario Institucional, que gobernó setenta y dos años hasta que fue derrotado por el Partido Acción Nacional de Fox en el año 2000. El desafortunado comentario del presidente generó toda clase de chistes: «¿En qué promovió María Félix el cambio democrático? Quizá lo hizo cuando apoyó la candidatura de Francisco I. Madero.»

Siguiendo el ejemplo de Fox, el presidente del Consejo Consultivo Estatal de Turismo de Guerrero se ridiculizó, reconociéndole a María Félix el mérito póstumo de ser una excelente impulsora turística, ya que «gracias a ella se promovió Acapulco como destino turístico a nivel internacional». En un afán de superarse unos a otros, no faltaron quienes ensalzaron sus dotes en el campo de las relaciones internacionales. Según Gerardo Estrada, director de Coordinación Educativa y Cultural de la Secretaría de Relaciones Exteriores, «perdimos a una de nuestras embajadoras más importantes»; y Jorge Volpi, responsable del Centro Cultural de México en París, se explayó diciendo que «María Félix no era sólo el símbolo del cine mexicano, sino también el lazo de unión de la vida cultural francesa y azteca», refiriéndose a todos los años que la actriz vivió en París.

Se dispuso un elegante Cadillac negro para trasladarla hasta su sepultura en el Cementerio del Panteón Francés, junto a sus padres y a su hijo Enrique. Pero antes, el féretro se detuvo en la sede de la Asociación Nacional de Actores, donde sus compañeros de profesión le cantaron *Las Mañanitas*. El cortejo fúnebre que la acompañó recorrió la ciudad entre vítores y cantando *María Bonita*.

Propios y ajenos, sin excepción, lloraron por la pérdida: «Ella no ha muerto, los mitos son eternos», se consolaba el escritor cubano Miguel Barnet; la prensa argentina le dedicó un lugar preferente; el *New York Times* recogió una amplia crónica y señalaba que María Félix había sido un símbolo de *glamour* y sofisticación, un mito viviente, la «diosa suprema» del cine de habla hispana; y París quedó afligida por el dolor. La capital gala fue como su segundo hogar y los parisienses consideraban a *La Mexicana* como una francesa más. En 1996 fue la primera mujer latinoamericana en ser condecorada en Francia con la orden de las Artes y las Letras y, dos años antes de su muerte, el ministro de Educación francés, Claude Allegre, le otorgó la más alta distinción francesa, la medalla de Oficial de la Legión de Honor, porque la carrera de la actriz supuso «un lazo de unión entre Francia y México». Conmovida, *La Doña* dijo: «Entre París y yo hay una historia de amor, ya que me dio todo lo que una mujer puede desear: amor y trabajo.»

No sufrió. Como comentaron varios de sus amigos, hasta para morir tuvo suerte y dignidad. Se difundió la idea de que era tan imponente que hasta la muerte tuvo que sorprenderla, porque hasta ella tenía miedo de mirarla a la cara.

La gran diva mexicana del séptimo arte, aquella que trabajara con los galanes más apuestos de sus años de profesión, como Pedro Armendáriz, Fernando Rey, Jack Palance, Rossano Brazzi, Vittorio Gassman, Yves Montand, Gerar Philipe, George Marshall, Curt Jurgens, Fernando Fernán Gómez, Jorge Mistral, Arturo de Córdova o Ignacio López Tarso, entre otros, no podía irse de manera vulgar. Para compensar el gran vacío que dejaba en el medio artístico mexicano, desde la tumba aún iba a protagonizar uno de sus grandes escándalos, una leyenda negra en torno a su herencia.

El respeto doliente de cualquier deceso se vio interrumpido en cuanto se conocieron las últimas voluntades de *La Doña*. Según el representante legal de María Félix, Javier Mondragón, la lectura de su testamento desveló que la fortuna de la actriz recaía en uno de sus empleados, Luis Martínez de Anda; en su última pareja, Antoine Tzapoff, y en el pueblo mexicano. Fue el pistoletazo de salida para todo tipo de comentarios escabrosos con los que la prensa se puso las botas. Su sobrino Carlos Félix, hijo de su hermano Bernardo, cuando aún no había concluido el velatorio, comentó que algunos amigos de la actriz la mantuvieron separada de la familia, «prácticamente prisionera», «en México jamás la pudimos ver porque todos ellos nos alejaban de ella», y advirtió que ya había comenzado la disputa legal para impugnar el documento.

La respuesta de Mondragón fue que ésta dejó su herencia a su pueblo por el amor que le profesaba, argumentación discutible teniendo en cuenta que en vida no se caracterizó por mostrarse especialmente sensible ante la pobreza. Sin embargo, siendo fieles a la verdad, en su autobiografía declaró: «Tal vez he desaprovechado mi fama. Hubiera querido ayudar un poco más a mi país, hubiera querido ayudar a todos esos indígenas que están en el hoyo más profundo, con la amenaza de extinguirse por falta de ayuda. Hubiera querido hacer más cosas por los demás, pero la vida se me hizo muy rápido. Ni siquiera la he visto pasar.» Algunos consideraron que en sus últimas reflexiones decidió probar el sabor del altruismo y lo dispuso todo para mostrarse generosa en el momento de su muerte. Otros lo rebatieron diciendo que *La Doña* nunca actuó desinteresadamente y lo que pretendió fue dar la última nota disonante que le garantizara su eterna posición de diva entre los mexicanos.

Ni lo uno ni lo otro; su testamento, redactado el 9 de julio de 2001, en realidad dejaba sus propiedades y la mayor parte de su fortuna a Luis Martínez de Anda y el resto a Tzapoff y al que fuera el asistente personal de su hijo Enrique, Javier Téllez. Nada decía de «su pueblo».

Capítulo XIX

— La exhumación del cadáver —

En cualquier caso, las acusaciones de la familia Félix se revelaron contra dos de los más íntimos amigos de *La Doña* en la última década de su vida: la empresaria Estela Moctezuma y el productor de telenovelas Ernesto Alonso, por no permitirles ver el cuerpo apagado de la estrella. Esta actitud, fundada en la coquetería y en la voluntad de la diva, despertó la sospecha entre los Félix de supuestas e injustificadas irregularidades durante la preparación del cadáver para su sepelio. ¿Tal vez porque fue envenenada y manipulada?, se preguntaron atónitos ante el contenido testamentario. Y a la querella civil para anular el testamento sumaron otra criminal, convencidos de que alguien estuvo medicando a María indebida y deliberadamente con el fin de anticipar su defunción. Dicha acción fue acompañada de una solicitud para exhumar el cadáver.

Cuatro meses más tarde, un grupo de investigadores de la Fiscalía de Homicidios, personal del Servicio Médico Forense de protección civil, representantes de la Secretaría de Salud y funcionarios del cuerpo de bomberos se personificaron en el lugar de reposo de *María Bonita* para proceder con la necroseopia.

Ante todo se tomaron muestras de ADN de Benjamín Félix para determinar la identidad del cadáver. Una vez corroborada la coincidencia genética, se procedió al análisis de los tejidos extraídos para intentar determinar la causa del deceso.

Los informes detallaron que no había rastro de violencia en el cadáver de María Félix y que en el corazón encontraron claras evidencias de infarto de miocardio, como constaba en el acta de defunción. El análisis químico de los cabellos y de tejidos procedentes del bazo y del hígado demostraron que en el paro cardiaco no interfirieron sustancias tóxicas de procedencia externa.

La fechoría se convirtió en una broma de pésimo gusto y nefasta deslealtad para con *La Doña*, quien jamás hubiera deseado para sí que nadie la hurgara de semejante manera y en tamañas condiciones.

No se sabe qué motivó a Bernardo Félix a retirar de improviso las causas legales que tanto escándalo habían levantado. «Después de una profunda reflexión —declaró Bernardo Félix—, decidimos desistir de todas las acciones iniciadas, renunciando legal y públicamente a cualquier derecho que pueda corresponder; deseando tan sólo que el patrimonio artístico y cultural que fue legado sea preservado en recuerdo de su memoria y en beneficio de nuestro país.» Pero era tarde; así como la demanda civil contra la aplicación del testamento de la diva podía ser anulada, una instancia penal que denuncia un posible homicidio no puede ser revocada pues, aunque afecte a nivel individual, no excluye el daño al colectivo social.

Desde Francia, Antoine Tzapoff observaba dolido y exasperado lo que tenía más tintes de ser la última ficción de su amada que la realidad en sí misma. El artista no pudo viajar a México porque estaba realizando una tratamiento para superar una depresión nerviosa que desde hacía tiempo le agobiaba. Perplejo, cuestionaba a quienes dudaron, qué oscuras intenciones creían que podían albergar un hombre rico y viejo como Ernesto Alonso, siempre devoto de su amiga María, y una mujer como Estela Moctezuma, siempre dispuesta a desvivirse y a velar por su bienestar, como ya demostrara hace diez años cuando *La Doña* les dio un buen susto enfermando gravemente. La propia María dijo de Estela en su autobiografía: «Con ella me divierto mucho, porque tiene un carácter muy alegre y una inteligencia extraordinaria.» Teniendo en cuenta la fecha en la que se publicaron estas declaraciones, está claro que a Moctezuma no le movía ningún interés repentino por *La Doña*.

Respecto al testamento, el pintor galo no tenía dudas: «Me parece que por última vez María quiso sorprender a todo el mundo, quiso provocar un escándalo con su herencia.»

«Yo no soy una leyenda, la leyenda es una gente o algo que ya no existe, que ya murió, eso es una leyenda. Yo no.» Y llevaba razón; ¿alguien puede negar que *María Bonita* siga viva?

OTROS ASPECTOS DE SU VIDA

CAPÍTULO XX

— LA SAGRADA VIRGEN DE CATIPOATO —

Es imposible calcular cuántas veces María fue ensalzada a los altares celestiales, pero sí podemos exponer los medios que utilizaron para ello. Ya sabemos que Antoine Tzapoff la pintó hasta la saciedad sin sentir hastío, pero hubo otros artistas que también quisieron reflejar su belleza.

Durante el rodaje de *Río Escondido*, el productor llamó al famoso muralista Diego Rivera para que retratara a la actriz con un niño en brazos. Él era un hombre muy talentoso e inteligente, por lo que conectó con María desde el primer momento. Empezaron a asistir juntos a exposiciones al igual que acompañaba a Salvador Novo a estrenos teatrales, pero estalló el rumor de un romance que llegó a cobrar tintes de ciencia ficción.

Fue cierto que Diego la amó, con locura, como a nadie, porque era «monstruosamente bella», y padeció su tormento diez largos años, consciente de que jamás tendría una oportunidad con su musa.

Se dice que nada más conocerla, Rivera ya le propuso ir a vivir con él y pintar todo lo que ella le pidiera. María se sentía halagada y compartía con él una relación amistosa de complicidad y compañerismo, pero Rivera era un viejo y estaba casado con la que también se convirtió en una querida amiga, la pintora Frida Kahlo.

Estando Frida muy enferma, llegó a pedirle a María que aceptara la propuesta de Diego y se convirtiera en su mujer. Más extravagante resulta la cosa al recordar cuando se insinuó que Frida, la mujer que repetidamente se autorretrató con bigote, también se enamoró perdidamente de María, llegando incluso a ponerse en duda la sexualidad de la diva. ¡Hubo hasta quien acusó a la pintora de robarle la amante a su propio marido!

Sea como fuere, Diego Rivera retrató a *María Bonita* en varias ocasiones, aunque a ella no le gustaba su estilo. Cuanto más la pintaba más necesitaba de ella y la buscó hasta en su pasado. Llegó a visitar Álamos para saber de dónde venía su diosa, y un día le envió un dibujo de la iglesia donde fue bautizada, pero con el objetivo de convertirla en sede de una nueva religión, la «Marifeliana», de la que él se declaraba Sumo Pontífice, siervo de la «Sagrada Virgen de Catipoato». Un día María le llamó y le saludó: «¿Cómo te va, ateo?», a lo que Rivera respondió: «Ya no soy ateo, tengo una diosa.»

Antes de Diego, antes incluso de ser actriz, muchos la pintaron en Guadalajara. Uno de los más grandes muralistas de México, José Clemente Orozco, también la utilizó como modelo. Él estaba trabajando en la decoración de un hospicio en Guadalajara, se conocieron y María, ignorando su fama, se prestó a posar para él. El lienzo la decepcionó muchísimo. «Orozco no me vio con el esplendor de la juventud, me vio muerta», dijo. A pesar de ello, y de que el cuadro nunca estuvo colgado en su casa, María lamentó su pérdida. En una de sus mudanzas vio que no estaba, se lo habían robado, y teme que aquella «calavera maquillada» pueda estar adornando el salón de algún excéntrico.

También inspiró a otros artistas, como Estanislao Lepri, Bridget Tichenor o Chávez Marió, pero se sintió especialmente cómoda con Remedios Varo y Leonora Carrington, pues se identificaba con sus pinturas surrealistas. Un tríptico de Leonora tiene una historia muy especial: María le contó que había tenido un sueño insólito y Leonora pintó esta expresión onírica. Primero la actriz era una sirena de nácar que vivía en el fondo del mar. Luego ascendió a la superficie, hermosa y llena de vegetación, donde se transformó en una sirena de fuego, para terminar como una sirena de carbón.

En 1996, en el Palacio de Minería de la ciudad de México, se organizó una exposición titulada *María y sus pintores*, en la que se exhibieron la mayor parte de esos trabajos y a los que se unieron los retratos dibujados por Antoine Tzapoff, consiguiendo un éxito de visitas sin precedente.

Capítulo XXI

— Retratada con palabras —

Pero no sólo fue musa de pintores y músicos, como hemos reseñado más arriba; también consintió en ser motivo de inspiración literaria. Desde Octavio Paz hasta Luis Spota, Carlos Mosiváis, Salvador Novo, Elena Poniatowska, Guadalupe Loaeza, Sealtiel Alatriste, Andrea Valeria, Waldemar Verdugo o Carmen Barajas, todos le dedicaron hermosas palabras, y María Félix estaba encantada con ellos, cuando la soñaban heroína, deidad, devoradora, altiva, perfecta y poderosa. Sin embargo, un mes antes de su desaparición se manifestó profundamente molesta con el escritor xalapeño (Veracruz) José León Sánchez, quien en su libro homenaje a Agustín Lara, *¡Mujer... aún la noche es joven!* (Editorial Buganville), dedica a *La Doña* un capítulo titulado «La Tlaquichera». La diva manifestó su enojo porque se sintió rebajada por el escritor, al que tildó de «basura, autor basurero y literario no más merecedor del título de redactor de *betylos* feos». Y advirtió que si lo encontraba en la Feria del Libro de Guadalajara, le abofetearía en público.

Uno de los literatos mexicanos que más admiración profesaron a la diva azteca fue Carlos Fuentes, quien la definía como «una diosa». «Yo no sé si las diosas mueren o si nada más desaparecen por un rato. Yo la tengo considerada como una diosa inaccesible y perdurable, a través de sus grandes películas, que son trabajos que marcaron una época del cine latinoamericano.» «Siempre fue un motivo de orgullo tener una mujer tan bella en nuestro panteón. Es como tener viva a una Venus, que es lo que ella fue: ocupó este sitio central en el panteón de las bellas mexicanas, esas bellezas que no envejecen nunca, como ella y Dolores del Río. Y ¿sabe por qué? Porque tenían bonitas calaveras.» Tanto las admiraba que les dedicó una obra de teatro, *Orquídeas a la luz de la luna*, y fue entonces cuando Fuentes cometió el fatal error que también le enemistó con *La Doña* para los restos de su vida, pues su persona y la de Dolores del Río fueron representadas por travestidos. Una ofensa que caló tan hondo en María que cuando la obra fue estrenada en Estados Unidos, dejó de hablar al que fuera uno de sus amigos.

Al parecer todo se debió a un malentendido. Fuentes le comentó sus intenciones a la Félix, quien no se opuso al proyecto y se brindó a corregir el texto cuando estuviera finalizado. El argumento hablaba de dos chicanas californianas que a veces se creen María Félix y Dolores del Río, y a veces Joan Crawford y Lupe Vélez. Cuando el autor le envió la obra, María nunca manifestó su opinión ni objetó nada, por lo que él dedujo que estaba de acuerdo con el argumento.

«Ella estaba muy enojada conmigo», declaró Fuentes en una entrevista que concedió a la revista *Proceso*. «Yo lo lamento, de veras, porque era una mujer con la que siempre me llevé muy bien y a quien admiré mucho. La quise mucho y nos divertíamos juntos.»

Capítulo XXII

— El collar de Franco —

Si algo deseó María Félix en su vida fueron las joyas. Estaba poseída por su embrujo, llegando a hacer varias locuras para gozarlas. Jamás se la vio sin adornos y siempre se excedía en cantidad y tamaño. Gracias a esta debilidad, convertida en intensa obsesión, *La Doña* hizo acopio de algunas anécdotas alucinantes.

Durante su primer vuelo a España, conoció al dramaturgo Luis G. Basurto, con quien estableció una hermosa amistad, al que llamaría «un alto en mi camino», dada su gran estatura. Impresionaba tanto que le pidió que custodiara su maletín de joyas, creyendo que con él estaría más seguro. Le llamaban «el Niño» y no precisamente por el apego que María sentía por sus alhajas, sino por una espeluznante invención de la prensa que en un momento dado difundió que lo que María transportaba en ese bolso negro del que nunca se separaba eran los restos de un hijo abortado de cuya pérdida jamás se recuperó.

Lo que sí es cierto es que en cierta ocasión Basurto acompañó a María a una importante joyería madrileña. El responsable quiso enseñarle a la diva un magnífico collar de perlas, brillantes y esmeraldas que la esposa del general Franco quería regalar a Eva Duarte de Perón. María lo deseó en el instante y dijo que lo compraría en el acto. El joyero palideció, porque la pieza ya estaba vendida a la familia Franco. Pero María no estaba dispuesta a irse sin el collar, así que discretamente pidió a Basurto que saliera a llamar un taxi.

Entonces María cogió el estuche y salió corriendo hacia el vehículo. Se fue al Hotel Palace y se encerró en la habitación decidida a conservar su tesoro. Después de un tiempo, que se hizo eterno, tuvo que intervenir el productor Cesáreo González. María le pidió que pagara el collar, que ella le devolvería el dinero trabajando, pero que de ninguna manera estaba pensando en devolverlo. Para alivio de todos, González pudo llegar a un acuerdo con la joyería.

CAPÍTULO XXIII

— HEREDERA DE LA CORONA DE NEFERTITI —

EN otra ocasión, cuando pisó París tenía muy claro cuál sería el primer sitio que visitaría: se presentó en Cartier con un pañuelo mexicano que envolvía un montón de brillantes. Pidió que le hicieran una joya única y María lució en innumerables ocasiones aquella serpiente de brillantes con ojos de esmeralda que podía enrollar en la muñeca o en el cuello. Quedó encantada, ya que era bien sabido que adoraba los reptiles y en su casa de Catipoato llegó a tener ochenta serpientes de cascabel que el pintor Diego Rivera le mandaba desde Oaxaca.

Pero esta pieza fue sólo el principio de una larga lista, porque al final de su vida había reunido una enorme colección de serpientes victorianas incrustadas con diamantes y turquesas, varias joyas con formas de saurios y reptiles que le diseñara Cartier en exclusividad, además de piezas antiguas de los siglos XVIII y XIX.

No podemos pasar por alto una interesante anécdota que vivió cuando fue a Cartier a recoger aquella alhaja. En la tienda coincidió con Faruk, entonces rey de Egipto, quien inmediatamente sucumbió a su hechizo y la invitó a cenar en el célebre restaurante Maxim's. La actriz creía que aquélla era una excelente ocasión para estrenar la serpiente de diamantes y, sin embargo, Faruk le dijo: «¿No cree que una mujer puede ser feliz sin estar cubierta de joyas?» María se levantó escandalizada y le contestó: «Majestad, ¡eso es anarquismo puro!»

Poco después *La Doña* recibió una invitación para asistir al cumpleaños del soberano egipcio en El Cairo. Tras los festejos, Faruk quiso tener una atención especial con María y la llevó a visitar el magnífico templo de Ramsés II en Abu Simbel. El monarca se detuvo frente a la estatua de la esposa favorita del faraón, la princesa nubia Nefertiti. «Ella era como tú», le dijo, «le encantaban las joyas.» Al momento apareció un criado transportando una delicada corona de oro y engarzada con pedrería sobre un cojín de seda. «Tómala, es la corona de Nefertiti, un humilde regalo para la reina de México.» María la tomó en sus manos y sintió el pálpito de su corazón a punto de salirse del pecho. De pronto le asaltó una duda: «Es mía ¿a cambio de qué?», preguntó. «De una sola noche conmigo», contestó el rey Faruk. Con el corazón roto, María volvió a depositar la tiara sobre el cojín.

CAPÍTULO XXIV

— LAS TRES PULSERAS —

UNAS de estas experiencias conformó uno de los mayores escándalos de su vida. Un collar de esmeraldas que Jorge Negrete le regaló cuando se casaron sería el protagonista de numerosas portadas de prensa, como por ejemplo que «El Banco Internacional quiere embargar a la madre de Jorge Negrete por una deuda de cien mil pesos». Cuando el charro murió, no había terminado de pagar la filigrana, por lo que la deuda recayó sobre su familia. Sus hermanos reclamaron a María la devolución del collar o bien que completara el pago, no entendían por qué debían responsabilizarse ellos de semejante apuro. *La Doña* se negó tanto a lo uno como a lo otro; fue un regalo de su difunto marido y por tanto le pertenecía. «¿Qué culpa tengo yo de que Jorge no terminara de pagarlo?» Su desinterés por solucionar el problema intensificó la quemazón que la gente sentía hacia ella en aquel momento.

Esta desagradable situación cobró tales proporciones que el productor Guillermo Calderón quiso llevar el incidente a las pantallas, con la actriz Ana Luisa Peluffo. María Félix, disconforme, supo parar el proyecto a tiempo. Habló con Calderón y le amenazó con divulgar el pasado de su mujer «cuando fichaba en el bar Chicote de Madrid» si seguía con la película.

Sin duda los abalorios que María más apreció en su madurez fueron los que llamó sus «joyas de amor». Tenía un medallón con la imagen del Papa Pío XII y le pidió a Antoine que tapara la faz pontificia con alguno de sus alegres dibujos. Él dibujó su ojo azul y sus iniciales por un lado, y por el otro el ojo negro de María y las iniciales de la actriz. Algo de lo que tampoco pudo prescindir era de tres pulseras que siempre lucía en los últimos años. Todas eran iguales, pero en cada una llevaba grabado uno de sus tres nombres: *La Doña*, porque así la llamaba su pueblo; *María Bonita*, porque era su himno, y *Puma Pumita*, porque así la llamaba Alex Berger.

Anecdotario

— Estando casada con Berger, mantuvieron una estrecha amistad con el ex presidente Miguel Alemán, pero durante su gobierno ni siquiera se conocían. No obstante, la prensa les inventó un tórrido idilio, llegando a rumorearse que el presidente utilizaba un subterráneo que le comunicaba con la casa de su amante. Desde que Alemán fuera elegido para capitanear el Gobierno de México, ya se rumoreaba sobre su relación secreta con la diva. Entonces corrió el rumor de que, el que sí fuera el amante declarado de la Félix, Jorge Pasquel, iba a ser electo ministro de Comunicaciones. Tal nombramiento nunca llegó a producirse y muchos creyeron que fue por culpa de una hermosa mujer...

— Cuando le concedieron el Ariel de Oro por sus cincuenta años de cine, el presidente Miguel Delamadrid envió a uno de sus ayudantes a pedirle un autógrafo. Ella pensó que era una artimaña de un fan para no soportar la cola de admiradores que esperaba una dedicatoria, así que se puso muy seria y muy digna, y le dijo al emisario: «Dígale al presidente que si quiere un autógrafo que me lo venga a pedir en persona.» De pronto se plantó ante ella el mismísimo Delamadrid y la actriz, no recordando su nombre de pila, optó por tratarle como a todo el mundo: «Su nombre, por favor.»

— Ella desaconsejaba a sus amigos poderosos que la invitaran a sus actos políticos. A veces, alguno insistía y ella se veía obligada a asistir. En una ocasión, fue al discurso de un gobernador amigo suyo y, como de costumbre, llegó tarde, lo supo porque desde el recibidor escuchó el aplauso del público cuando apareció el político. Cuando la vieron llegar a ella estallaron en una ovación. Durante la conferencia, la prensa y los fotógrafos sólo estuvieron pendientes de ella y cuando salieron del recinto, la banda, en vez de tocar el himno nacional, la despidió con *María Bonita*.

— Cuando Jorge Carpizo era embajador de México en París, ella solía acudir a sus recepciones en su Rolls Royce blanco de 1957. En una de ellas, cuando bajó del coche se le acercó un desconocido aristócrata y le dijo: «Señora, la admiro tanto que quisiera besarle los pies.» A lo que ella saltó alarmada: «¡No, que me ensucia los zapatos!»

— Jorge Negrete le regaló un perico al que llamó Pedro. Cantaba *La Traviata* a dos voces, bailaba *rap* y cada vez que sonaba el timbre de la puerta o del teléfono gritaba: «Bueno, bueno, bueno, *La Doña* no está, *La Doña* no está.»

— Cada objeto, cada posesión, encerraba una historia, un recuerdo. Cuando visitó Mahón, en Menorca (España), le llamó la atención un pequeño museo de fósiles marinos. Su expresión ante la belleza de aquellas vitrinas debió ser un conmovedor poema, pues el encargado del centro le ofreció llevarse cuanto quisiera. Al principio ella se negó. Luego, abrumada por la historia de aquel hombre, cogió varias piezas. «Quiero hacer feliz a alguien antes de morirme», dijo el anciano. Había pasado toda su vida solo, cuidando el museo, y cuando la vio entrar comprendió que la razón de su vida había sido custodiar aquel tesoro para ella.

— El presidente cubano Prío Socorrás también se quedó prendado de la magnificencia de María y le ofreció las llaves de La Habana y la ciudadanía de honor. María se hospedaba en un lujoso hotel adonde habían llegado centenares de cartas de sus admiradores. No era habitual en ella prestarles atención, pero cuando fue a apartarlas, de una de ellas se calló una medalla de la Virgen de la Caridad del Cobre. Intrigada, quiso saber quién se la enviaba y lo primero que leyó fue: «Confío que la Virgen me hará el milagro de que usted lea esta carta...». La misiva era de un condenado a muerte por el delito de haber asesinado al violador de su hermana y le pedía interceder ante el presidente para que le conmutara la pena y salvarle así la vida. Durante la cena que celebraron en el Palacio Nacional, Socorrás quiso tener una atención personal con *La Doña* y le ofreció una casa, un coche, joyas... en fin, todo lo que la diva quisiera. Entonces María le dijo: «Nada de eso, señor presidente; quiero que me regale un hombre, un condenado a muerte.» El indulto se hizo efectivo en el acto.

— Cuando estaba rodando *La Bella Otero* tuvo la oportunidad de conocer a la mujer que estaba encarnando. Vivía miserablemente en Niza, tras haber despilfarrado su fortuna en el juego. «Tú eres más bonita de lo que yo era», le dijo, «pero cuando yo tenía tu edad ya se habían matado por mí dos banqueros y un conde».

— La apuesta por María como nueva promesa del panorama artístico fue ampliamente secundada; sin embargo, su bautizo artístico planteó ciertos problemas. «Querían que me llamara Diana del Mar», contaba la actriz escandalizada. «Ni loca, les dije, yo no me pongo un nombre tan cursi. Luego me propusieron otro peor: Marcia Maris. Me negué rotundamente a llevar seudónimo.» Lo cierto es que sólo en los créditos de *El peñón de las Ánimas* figura como María de los Ángeles Félix: a partir de entonces sería María Félix, a secas.

— La actriz y el fotógrafo Gabriel Figueroa mantuvieron una relación que sobrepasaba las lindes de lo profesional. Ambos compartían la pasión por las botas inglesas y los sombreros y, como calzaban el mismo número de pie, se aficionaron a intercambiarse los cueros. Cuando María veía que Figueroa estrenaba un sombrero le decía: «Gaby, éste es mío, y tú me pides lo que quieras después.»

— Al empezar el rodaje de *Enamorada*, la actriz se mostraba molesta porque la ayudante de Emilio *el Indio* Fernández se llamaba María Bustamante, y harta de oír continuamente mentarla por su nombre de pila, se plantó ante Fernández y le exigió que «a esa mujer que sirve el café, que le cambien el nombre». Cuando años más tarde los periodistas le preguntaban sobre ese incidente, ella lo confirmaba y explicaba que «a todas las muchachas que llegan a casa a trabajar y se llaman María, yo les pongo Petra».

— En varias ocasiones, María declaró que jamás había visto ninguna de sus películas completas. «Me daba mucho miedo —decía—. Empecé sin saber nada de cine, pero a base de éxitos fui aprendiendo. Cuando me veía, siempre pensaba que podía haberlo hecho mejor.»

— A una reportera que le preguntó su edad le contestó: «Mire señorita, yo he estado muy ocupada viviendo mi vida y no he tenido tiempo de contarla.»

— Durante una de las últimas entrevistas que concedió a la prensa le preguntaron sobre las posibilidades de Salma Hayek de seguir sus pasos y convertirse en la segunda mexicana más popular en el mundo. La diva contestó: «No puede porque me llega a la mitad del cuerpo... Aunque quiera, no puede.»

— La primera vez que Alex Berger la llevó de vacaciones al Cran Sur Ciel de Suiza, adonde él iba frecuentemente para jugar al golf, María tuvo que remediar la soledad y el aburrimiento de una forma efectiva: anunciándose en el periódico local. «María Félix, conocida actriz de cine (*Enamorada*, *La bella Otero*, *French Can-Can*) busca *partenaire* para jugar canasta o *backgamon*.»

— En una ocasión raptó al perro de su último marido para comprarse una joya con la recompensa. «Panito» no era un *buldog* cualquiera, era el mejor amigo de Berger y éste lo trataba a cuerpo de rey. María involucró a la gobernanta de su casa, pidiéndole que se llevara el perro con ella. Entonces, interpretando el papel de esposa consternada, llamó a Berger y le anunció la trágica noticia. «Han secuestrado a "Panito" y quieren un rescate de ciento cincuenta mil dólares. Debo llevar el dinero en mano.» Todo salió a pedir de boca; «Panito» regresó sano y salvo y Alex comentó con sorna cuán gentiles habían sido los secuestradores, que le devolvieron el perro con el pelo más brillante y cepillado que nunca.

— Cierta noche que estaba cenando con Berger en un *glamouroso* restaurante parisiense, elegantemente vestida con un traje de pantera de Somalia y una gargantilla de rubíes, María Félix se levantó para ir al tocador, y durante el trayecto tropezó y se cayó. Los camareros, confundidos por el exotismo de su vestimenta, la echaron creyendo que se trataba de una borracha cualquiera. Berger, extrañado por la tardanza de su *Puma,* fue a buscarla. ¡Cuál no sería su sorpresa cuando descubrió que su esposa le esperaba en la calle! Lejos de enojarse, Berger encontró la situación de una comicidad extraordinaria y le comentó a María: «Contigo me divierto todo el tiempo.»

— María siempre hizo gala de un «vínculo espiritual» que la unía con sus caballos, y mantenía que se comunicaban con ella durante el sueño. En más de una ocasión narró cómo una noche en la que un terrible incendio asoló la cuadra de Maison Laffitte recibió la llamada de auxilio de los cuadrúpedos. Sonámbula, la Félix salió de su casa en camisón, caminó hacia el establo y abrió todas las caballerizas antes de volver a su lecho. Al día siguiente despertó con un vago recuerdo de lo sucedido. Más tarde, uno de los mozos fue a hablarle del fuego. «¿Y los caballos?», preguntó alarmada. «Tranquila señora, parece que al cuidador se le olvidó encerrarlos», contestó el muchacho.

— Uno de los gestos característicos de María Félix era su manera de levantar las cejas. Luis Terán se inspiró en su estilo para escribir en 1965 en *El Heraldo*: «Este deporte, tan usado en las películas nacionales, se ha convertido, al paso de los calendarios, en el recurso más fácil para la expresión facial de emociones entre las nuevas generaciones de actores. La maestra del difícil arte ha sido María Félix (otros lo usaron igualmente, aunque sin buenos resultados); esto se debe a que *La Doña* empleó la forma más efectiva, menos solemne y más divertida. ¿Quién no recuerda su famoso rostro en aquella escena de *Enamorada,* cuando tiene que decidir si se casa, deja a su padre o se va con la "bola" para seguir a Pedro Armendáriz? La ceja estaba en su más regocijante apogeo. En la Félix, dicho empleo, se entiende, en su trabajo es sinónimo de poder y fuerza sobre todas las cosas: el salvoconducto para obtener la firmeza y la seguridad del acto de actuar.»

— En 1955 fue invitada a Quito (Ecuador) para celebrar el primer aniversario de la emblemática Radio Victoria. El dueño de la cadena, Gonzalo Proaño *El Gordo*, esperaba ansioso el aterrizaje del avión de la compañía Panagra, ya que había preparado un recibimiento apoteósico para la primera estrella mexicana y su acompañante, el también reputado actor azteca Andrés Soler. La permanencia de María Félix en Quito fue un éxito rotundo, con llenos espectaculares en el Coliseo Julio César Hidalgo.

El Gordo anunció un programa especial para conmemorar el primer año de vida de Radio Victoria: María Félix, Andrés Soler y la actriz colombiana Betty Meléndez, en un especial que duraría desde las seis de la tarde hasta las dos de la madrugada del día siguiente.

Toda la población quiteña estuvo pendiente de la radio, registrándose índices de audiencia impensables. Gonzalo Proaño quedó tan satisfecho que quiso honrar a la Félix con el madrinazgo de su hija Alma.

— El actor venezolano Raúl Amundaray recuerda a María Félix como una mujer «de personalidad avasallante y profunda simpatía». Se conocieron cuando él protagonizaba junto a María la telenovela *Cristina*, en la que *La Doña* tuvo una breve participación. Amundaray fue a recibirla al aeropuerto caraqueño de Maiquetía y quiso darle la bienvenida con una cajita de puros habanos. «¡Es el mejor regalo que me han hecho!», declaró ella gratamente sorprendida. «Como yo era el galán de la novela, iba con María tomada de mi brazo saludando a todos los presentes en la recepción», recordaba Amundaray. Estaba invitado el entonces embajador de México en Venezuela y cuando llegamos a su altura y él, sonriente, le extendió la mano para saludarla, ¡tremenda sorpresa, ella se dio la vuelta! No supe reaccionar y entonces María me explicó que aquel señor era de un partido político adverso al de ella.» Ella tenía la firme convicción de que a través de las manos se transmitían muchas energías y no quería impregnarse de la negatividad de alguien que le transmitía tan malas vibraciones.

— En las mismas fechas en las que rodaba la telenovela *Cristina* se desprende otra curiosidad de *María Bonita*. En las grabaciones exigía una luz especial llamada *Baby* y un apuntador. Así fue como la figura del apuntador irrumpió por primera vez en los estudios de Radio Caracas Televisión.

Sus declaraciones más significativas

La vida

— *En la vida no basta con ser bella, hay que saber serlo.*

— *A mí todo se me dio muy fácil, ¡todo! Yo nunca tuve que luchar por nada, ni por tener dinero, ni por tener trabajo. Sólo luché para aprender mi oficio porque estaba improvisando y no sabía nada.*

— *Yo creo en la suerte y en mi fabuloso destino. Mi destino estaba marcado con muchas estrellas.*

— *No cuento los años, sólo me limito a vivirlos.*

— *No le tengo miedo a la vejez, sino a algo más peligroso: el derrumbe de una mujer. No temo a las canas ni a las arrugas, sino a la falta de interés por la vida.*

— *Diva es una cosa fabricada, pero yo no estoy fabricada, me fabricó la vida y posiblemente me fabrico bien.*

— *Con la imagen que el público se ha hecho de mí no hubiera podido vivir. Tuve que crear mi propia imagen para no perder el equilibrio.*

— *En la vida considero el éxito inferior a la celebridad. Éxito lo puede tener mucha gente, la celebridad te toca y te apoya toda la vida.*

El éxito depende de las circunstancias, de la suerte y de que la sepas aprovechar. El éxito lo haces tú. La celebridad te la dan los demás.

— *El dinero es importantísimo en la vida. No da la felicidad, ya se sabe, ¡pero cómo calma los nervios!*

— *El Día Internacional de la Mujer es un día como todos, son cosas que no sé ni cómo ni por qué las inventaron. El Día de la Mujer es todos los días, porque es un asunto demasiado complicado ser mujer.*

Su carácter

— *Diva es una palabra muy severa, a mí siempre me han calificado de eso, pero el término diva es casi perfecto, y los humanos no somos perfectos.*

— *Se necesita un egoísmo formidable para ser como yo. Hay que pasar por encima de todo y de todos.*

— *Mi manera de expresarme no es muy diplomática. Digo siempre lo que pienso y eso me ha acarreado antipatías. Digo la verdad hasta cuando va en contra mía.*

— *Mis enemigos son muchos y malos; mis amigos, pocos y buenos.*

— *Yo nací en Álamos, bajo un sol de fuego, nada me puede quemar.*

— *Soy amante de las buenas maneras, pero cuando me empujan a pelear no le tengo miedo a nada. Si alguien me ataca, yo me defiendo.*

— *Las mujeres nunca seremos como los hombres, aunque hay veces que los hombres tienen corazón de mujer. Desde el principio de los tiempos, los hombres se han llevado lo mejor del pastel. Yo tengo corazón de hombre y por eso me ha ido tan bien.*

— Me considero una privilegiada. Gané dinero a manos llenas y lo sigo ganando. Lo que pido me lo dan. La vida me dio y me dio y, aunque me quitó a mi hijo, en el amor me fue siempre muy bien. Escogí siempre a los hombres que tuve.

— Me arrodillo en una iglesia, ante un hombre no. Al contrario, muchos se han arrodillado ante mí.

— No me den consejos, yo me sé equivocar sola.

— Las estrellas ya no llevan la batuta y las actrices de ahora son desechables. Son modelos que no saben ni platicar.

— En Europa creen que todas las mexicanas son como yo. No está mal ¿verdad? Creen que pueden encontrar a una igual que yo a la vuelta de la esquina.

— No me siento un mito, ni una diva, ni una estrella, porque no hice nada para serlo, nací así. Desde que tuve uso de razón experimenté la sensación de ser el centro de todas las miradas y, por eso, cuando más tarde llegó el éxito, su llegada no me sorprendió, me pareció natural porque estaba ya acostumbrada a él antes de tenerlo.

— Yo no soy leyenda, yo soy una mujer. No digo que como todas porque tengo una mentalidad un poco extravagante, pero muy sincera. Ése ha sido mi gran éxito.

— ¿Vacía yo? Nadie ha mirado dentro de mí.

— Algunos amigos me han dicho que las perlas hacen llorar a la gente. Las únicas perlas que a mí me hicieron llorar eran falsas.

— La belleza ayuda mucho en la vida. Ser bello es un privilegio, pero es más importante tener energía y disciplina, si no la vida y el amor van mal. La energía se lleva dentro y yo la tengo porque mi madre era medio vasca, buena raza, unos genes picudos.

— O me aceptan como soy, o me aceptan como soy.

— Soy una mujer que no se deja, que no permite injusticias, que responde, que grita cuando es necesario y que ama cuando es necesario.

— Decir la verdad no es fácil, pero yo nunca he tenido miedo.

— El talento es indispensable, absolutamente, y si lo acompañas de belleza, de simpatía, de personalidad y de inteligencia, entonces las cosas van como van.

— Soy amable con las buenas maneras, pero cuando me empujan a pelear no le tengo miedo a nada.

— Con la imagen que el público se ha hecho de mí no hubiera podido vivir.

— Mi oficio ha sido ser guapa.

— Tenía un concepto moral muy avanzado para la época.

— No pretendo ser un ángel, porque para eso se necesita aureola.

— Yo bajé a los infiernos y hablé con el diablo.

— Primero número uno que número dos.

El cine

— Al principio de su carrera: *Tenía proposiciones para hacer pequeños papeles pero no me interesaban porque yo quería debutar en plan estelar.*

— *No quise trabajar para el cine americano porque nunca me ofrecieron algo que valiera la pena. Sólo querían que hiciera papeles de india, y yo no nací para llevar canastas.*

— *Tal vez he desaprovechado mi fama. Hubiera querido ayudar un poco a mi país, hubiera querido ayudar a esos indígenas que están en el hoyo más profundo, con la amenaza de extinguirse por la falta de ayuda. Hubiera querido hacer más cosas por los demás; pero la vida se me ha ido muy rápido.*

— *Un éxito de varias décadas no es cuestión de suerte, es cuestión de agallas.*

— *Hice cuarenta y siete películas a lo largo de mi carrera, pero mi aprendizaje nunca terminó.*

— *En el cine gané una guerra personal cuando me propuse ser la mejor.*

— *Al oír la palabra acción me encerraba en mí misma: sólo quedábamos la cámara y yo.*

— *La gente me quiere y me ha dado infinitas pruebas.*

— *De algún modo seduje a la gente, incluso a la que reprobaba la conducta de mis personajes.*

— *Si los cinéfilos, sobre todo los latinoamericanos y mexicanos, me siguen amando, será porque aún no les ha salido otra como yo.*

La prensa

— Cuando era objeto de alguna crítica contestaba: «*Yo estoy hecha de baños de agua caliente y agua fría, y muchas veces los de agua fría le dan más interés a los chismes.*

— *Me divierte la obsesión de los reporteros por mi edad, según ellos tengo ciento veinte años.*

— *Me han llamado la mujer más hermosa del mundo en revistas internacionales de gran tiraje.*

— *En las entrevistas me ponen una cara de tarugo que no tengo y me atribuyen frases que nunca dije.*

— *Conmigo se han metido las plumas de segunda y alguno que otro «mujerujo» de inmerecida fama internacional.*

— *A una actriz se le inventan escándalos.*

— *La mayor parte de mis entrevistas han sido de mala fe. Nunca he demandado a mis difamadores porque no es mi papel.*

El amor

— *Siempre elegí a mis hombres, siempre llevé la manivela.*

— *Conocí el amor loco, la pasión sin freno, pero me duraron poco porque a esa tensión, a esos voltios, a esa temperatura de cuarenta grados, no se puede vivir mucho tiempo.*

— *Todos mis hombres han sido sexys.*

— *Un hombre es sexy cuando al verlo vestido te entran ganas de hacerle el amor.*

— *El perfume del incesto no lo tiene otro amor.*

— *El amor es voz, el amor es puerta cerrada, el amor es tantas cosas, pero sobre todo es protocolo y misterio.*

— *A mí ningún hombre me hizo la vida pesada, porque nunca le aposté a uno solo todas mis fichas.*

— *Estoy acostumbrada a tener hombres ansiosos y a contestarles «no eres el único que ha arruinado su vida por mí».*

Lo que otros personajes han dicho de ella

— *Es tan bella que hace daño* (Jean Cocteau).

— *María Félix ha nacido dos veces: sus padres la engendran, luego ella se inventa y vuelve a nacer* (Octavio Paz).

— *Ella no ha muerto, los mitos son eternos* (Miguel Barnet).

— *Es María un ser monstruosamente perfecto. Se necesita un gran esfuerzo de la naturaleza para lograr un ejemplar así* (Diego Rivera).

— *Su magnetismo se encuentra en sus ojos, alternativamente serenos y tempestuosos: atraen y fulminan* (Octavio Paz).

— *María, el rostro del cine latinoamericano, era energía, pasión, polémica, astucia e inteligencia* (Pedro Armendáriz Jr.).

— *Era lo que se conoce en la religión hindú como una avatar: una encarnación terrestre de una deidad* (Guillermo Cabrera Infante).

— *Creó todo un subgénero en el melodrama mexicano, el de los estragos de la vampiresa* (García Riera).

— *La gran película de María Félix, fue María Félix* (Octavio Paz).

— *Ella es la poesía. Los machos de sacristía, los fariseos por antonomasia, la atacan para calentamiento de su miedo. Pero tuvieron que acatarla bajos las enfebrecidas techumbres del gótico medioevo, insuficientes para oírla cantar* (Ricardo Cortés Tamayo).

— *Se han escrito millones de páginas sobre su vida mediática y su vida privada, pero aún permanece en el misterio de la indefinición, de lo inclasificable. Su esencia volátil permanece en el terreno de los desconocido* (Alicia Esquivel Quintana).

— *Era una mujer valiente, una mujer que pisaba duro, que pisaba fuerte, que decía lo que pensaba y que podía mirar cara a cara a cualquier macho. Además de ser una diosa, era una institución* (Carlos Fuentes).

— *La perversa diosa Coatlicue presidió la fiesta con sus collares de calaveras* (Terenci Moix).

— *Ya no habrá más divas, ni siquiera yo* (Talía).

— *Nadie podrá inspirar lo que tú inspiras* (Carlos Monsiváis).

— *Generalmente en el cine mexicano la mujer es muy sumisa, sobre todo en ese periodo. Ella plantea un carácter realmente especial. Ella es la que decide su destino. Eso, en el melodrama mexicano no era común* (Leonardo García Tsao).

La mujer de la discordia: ¿cómo la recuerda el público?

— *He visto en televisión muchos reportajes sobre su vida y, realmente, me parece que la alaban demasiado. Si nos fijamos bien, encontramos a una mujer que se limitó a utilizar a los demás para subir a la cima de la fama, pues sus méritos como actriz dejan mucho que desear. He visto bastantes películas de ella y, a pesar de que tenía un buen físico, no creo que fuera como para endiosarla. Por no hablar de su dicción: en muchos diálogos no se sabe lo que dice y no es porque el sonido de la película sea malo, pues a los demás actores se les entiende perfectamente.*

— *María Félix tenía todos los atributos de una gran mujer: hermosa hasta la desvergüenza, pérfida, egoísta, descarada, materialista y fría. Admirable e irrepetible. Antes no había nada y después de ella todo son groseras imitaciones.*

— *Algo tuvo la señora que fue inspiración de grandes como el querido Agustín Lara. Bella y de carácter fuerte, supo ganarse un lugar y conquistar a quien ella quiso.*

— *Han hecho demasiado alarde de una actriz mediocre con demasiadas poses.*

— *Como actriz no la considero fuera de lo común, pero como persona sí que lo fue.*

— *Si bien era atractiva físicamente, su carácter prepotente perjudicó su imagen salvo para quienes fueron sus incondicionales.*

— *En vida fue un personaje público con características únicas.*

— *María Félix no era una actriz que dio vida a personajes de ficción, más bien su propia vida fue una película en la que todo lo demás era secundario y giraba alrededor de la protagonista.*

— *Supo construirse su propio mito y vivió para verlo.*

— *Sólo atrajo por su belleza, atributo de una potencia tal que conseguía aniquilar su antipatía.*

— *Tiene todo mi reconocimiento porque supo ser una diva y una mujer muy inteligente, pero no por la actriz que la proclamaron.*

— *La verdad es que había y habrá mujeres más bellas que ella.*

— *Aunque digan que era una déspota, lo que le infligía una valía sin parangón era que nos mostró su personalidad fuerte, sin tapujos, que decía siempre lo que sentía.*

— *Sus actuaciones fueron muy buenas, por fin una actriz fuerte que no interpretara personajes martirizados.*

— *No era una actriz de cine. Tal vez interpretó su vida porque su filmografía es plana y sus historias siempre giran en torno a la devoradora. ¿Alguna aportó algo nuevo? Muchas de sus películas trascendieron gracias a los demás protagonistas. Por ejemplo, en* Enamorada, *donde Pedro Armendáriz le imprime tal fuerza a la trama que da la impresión que María Félix también es buena actriz.*

— *Polémica, excéntrica y, sobre todo, con una hermosura fuera de lo común, extraña e inigualable.*

— *Vivió como quiso, tuvo lo que debía tener y murió dejando atrás la simpatía de unos y la desolación de otros.*

— *La singularidad de* María Bonita *radica en que no se guiaba por ninguna tendencia, era siempre ella misma sin importarle la opinión de la gente.*

— *Ni actriz, ni mujer. Sólo diva.*

— *Su excepcional belleza fue su recurso, y supo utilizarla, haciendo que las películas se adecuaran a su manera de ser. Así ella parecía una actriz cuando, en realidad, lo que hacía era representarse a sí misma.*

— *Alimentaba su leyenda con declaraciones incendiarias y fuertes, así como con silencios y actitudes grandilocuentes.*

— *¿Cómo es posible tener cuanto tuvo sin completarse como ser humano? Independientemente de las fricciones familiares y de la deficiente función como madre,* La Doña *se sentía completa consigo misma. Sin duda una dualidad que debió perturbarla toda la vida, aunque pocas veces nos lo mostró.*

— *Fue una mujer déspota que se sentía descendiente de los dioses sólo porque a alguien se le ocurrió decir que era muy bonita. ¡Por favor, pueblo de México, despierten!*

— *¿Cómo es posible que adoren tanto a esa mujer? Díganme si fue buena actriz, díganme si hizo algo por los mexicanos, díganme al menos que fue carismática y humilde. No pueden, entonces díganme por qué tanta alabanza.*

— *Da coraje ver menospreciada a gente verdaderamente válida, mientras sólo el recuerdo de esa insignificante señora logra mantener a todos hechizados.*

— *Fue una supermujer, hasta cuando la situación era adversa; ella se expresó libremente alimentando nuestras esperanzas. Por eso siempre estará en el corazón de los mexicanos.*

— *Reverenciemos a* Cantinflas, *Pedro Infante, Katy Jurado, Silvia Pinal, Arturo de Córdova, Sara García, Joaquín Pardavé y muchos otros artistas mexicanos porque, además de ser grandes actores, fueron grandes personas. Muchos de ellos, como Mario Moreno ayudaron al pueblo haciendo obras benéficas. Ellos sí se merecen halagos y manifestaciones de respeto y cariño. ¿Qué hizo la Félix aparte de ser bella?*

— *Esta mujer se quedará grabada en la mente y el corazón de muchas personas.*

— *María Félix fue la primera en demostrar que la belleza no es incompatible con la inteligencia.*

— *No se dejaba impresionar por nada; al contrario, era ella quien trastornaba a los demás.*

Filmografía de María Félix

Título: *El peñón de las ánimas.*

Producción: Grovas S. A. (México, 1942).
Dirección: Miguel Zacarías.
Guión: Miguel Zacarías.
Fotografía: Víctor Herrera y Enrique Wallace.
Operadores de cámara: Enrique Wallace y Luis Medina.
Música: Manuel Esperón y Ernesto Cortázar.
Escenografía: Carlos Toussaint y Manuel Fontanals.
Duración: 117 minutos.

Intérpretes: Jorge Negrete (Fernando Iturriaga), María de los Ángeles Félix (María Ángela Valdivia), René Cardona (Manuel), Carlos López Moctezuma (Felipe Valdivia), Miguel Ángel Férriz (don Braulio Valdivia), Virginia Manzano (Rosa), Roberto Cañedo (mariachi), Manuel Donde y Trío Calaveras.

Sinopsis: En la hacienda de Dos Peñas, Jalisco, don Braulio Valdivia encomienda a su nieto Felipe y a Manuel que maten al último de los Ituarriaga, Fernando, por una vieja venganza de familia. Mientras, llega María Ángela, hermana de Felipe y prometida de Manuel desde la infancia. Cuando ella y Fernando Iturriaga coinciden en un viejo caserón donde ambos buscan resguardarse de la lluvia, se enamoran. María quiere precipitar su boda con Manuel para evitar lo inevitable, procurando que la sangre no llegue al río. El día del enlace, Manuel libera a su amada y le ayuda a huir con Fernando, pero cuando don Braulio se entera sale en su busca, dándoles caza y muerte a ambos. Manuel, desolado, coge el cuerpo inerte de su amada y con ella se lanza por el peñón de las Ánimas.

Título: *María Eugenia.*

Producción: Grovas S. A. (México, 1942).
Dirección: Felipe Gregorio Castillo.
Guión: Felipe Gregorio Castillo.
Fotografía: Víctor Herrera.
Música: Manuel Esperón; letras: Ernesto Cortázar.
Escenografía: Manuel Fontanals.
Duración: 101 minutos.

Intérpretes: María Félix (María Eugenia), Rafael Baledón (Carlos Martínez Cuervo), Manolita Saval (Raquel), Jorge Reyes (Ricardo), Mimí Derba (doña Virginia), Eugenia Galindo (doña Matilde), Alfredo Varela (Martín), Consuelo Segarra (Rosa) y Toña la Negra.

Sinopsis: Durante unas vacaciones con sus amigos Raquel y Ricardo, éste presenta a María Eugenia al empresario Carlos Martínez, con quien simpatiza inmediatamente. Carlos y María vuelven a encontrarse en la capital, cuando él, accidentalmente, la atropella con su coche. Declarado el amor y formulado el drama, él está a punto de casarse con otra mujer, llamada Julia, que es la hija de su madrina, la bondadosa doña Virginia, con quien tiene una deuda de gratitud. Entre las pertenencias de su prometido, Julia descubre un medallón con la foto de María.

Cuando acude desconsolada ante su madre, doña Virginia reconoce emocionada que se trata de la hija que le secuestraron cuando era pequeña. Julia no puede competir ni por su amado ni por el afecto de su madre e intenta suicidarse. Para que Carlos pueda seguir con su promesa de casarse con su hija y para que María no se sienta culpable de todo lo sucedido, le cuenta que ella es su verdadera y única hija.

Título: *La mujer sin alma.*

Producción: Cinematográfica de Guadalajara (México, 1943).
Dirección: Fernando Fuentes.
Guión: Alfonso Lapena y Fernando Fuentes (basado en la novela «La razón social», de Alphonse Daudet).
Fotografía: Víctor Herrera.
Música: Francisco Domínguez; canciones: María Alma.
Escenografía: Jesús Bracho.

Intérpretes: Fernando Soler, María Félix, Andrés Soler, Antonio Badú, Chela Campos, Emma Roldán, Mimí Derba y Carlos Martínez Baena.

Sinopsis: La bella María Félix avasalla a los hombres y juega con ellos despiadadamente hasta dominar sus sentimientos y sus pasiones, ansiosa por salir de la pobreza que le ha tocado vivir. Una prostitución de tinte oxigenado (aunque la Félix no se nos muestre rubia hasta que ruede *Amok*), encubierta porque «el fin justifica los medios». Teresa es una muchacha de clase media que no se resigna a la miseria y hará lo imposible para elevar su posición social. Intenta seducir a Enrique, pero él ya está comprometido con Mercedes y se casa con ella. Teresa tiene que conformarse con Alfredo, a quien han nombrado socio de la empresa textil del padre de Enrique. La mujer, jamás satisfecha, no desiste en su intento por obtener riqueza; así que consigue embaucar a Enrique para que sea su amante y robe en la empresa de su padre, a fin de que pueda comprarle regalos caros. La infidelidad es descubierta en el peor momento, cuando la fábrica entra en quiebra. Alfredo desprecia a Teresa, quien se ve obligada a devolver todas las joyas que le regaló Enrique para salvar la empresa. Termina sola, trabajando en un cabaret y con la frase lapidaria de Vicente, el que fuera su más fiel pretendiente: «Para mí eres una mujer menos, para los demás serás una mujer más...».

Título: *La china poblana.*

Producción: CLASA Films (México, 1943).
Dirección: Fernando A. Palacios.
Guión: Fernando A. Palacios.
Fotografía: Raúl Martínez Solares.
Música: Armando Rosales.
Escenografía: Jorge Hernández.

Intérpretes: María Félix, Miguel Ángel Férriz, Tito Novaro, Miguel Inclán, Antonio R. Frausto, Estela Ametler, Tony Díaz.

Sinopsis: Una princesa china es raptada por unos piratas, para ser vendida en América. Los malhechores son conscientes de que por su hermosura pagarán un alto precio. Las aventuras de la desdichada oriental hasta llegar a México conforman la primera parte de este drama con final místico. Cuando llegan a tierra, la bella oriental es comprada por un capitán español, un hombre misericordioso que pone la salvación al alcance de su mano convirtiéndola al cristianismo. La china abraza la palabra de Dios y cierra su corazón y su cuerpo a todo lo que no sea el amor del fervor religioso. Vivirá en la más absoluta de las virtudes y morirá en olor de santidad.

Título: *Doña Bárbara.*

Producción: CLASA Films (México, 1943).
Dirección: Fernando Fuentes y Miguel M. Delgado.
Guión: Rómulo Gallegos y Fernando Fuentes (basado en la novela homónima de Rómulo Gallegos).
Fotografía: Alex Phillips.
Música: Jesús Bracho, Francisco Domínguez; canciones: Prudencio Esaa.
Escenografía: Jesús Bracho.
Duración: 138 minutos.

Intérpretes: María Félix (doña Bárbara), Julián Soler (Santos Luzardo), María Elena Marqués (Marisela), Andrés Soler (Lorenzo Barquero), Charles Rooner (don Guillermo), Agustín Isunza (Juan Primito), Miguel Inclán (Melquiades), Eduardo Arozamena (Melensio Sandoval), Arturo Soto Rangel (coronel Bernalete), Pedro Galindo (Nieves), Antonio Frausto, Paco Astol, Manuel Donde y Felipe Montoya.

Sinopsis: El doctor en Derecho Santos Luzardo regresa a Altamira para hacerse cargo de sus propiedades. Cuando llega a su destino, descubre que las tierras están sometidas a la tiranía de doña Bárbara, una mujer resentida con los hombres que decidió convertirse en uno de ellos para no sufrir sus atropellos, desde que, cuando era joven, seis marineros se jugaron a los dados su virginidad y mataron a su enamorado antes de violarla. Doña Bárbara, famosa por sus brujerías, tiene el dominio de cuanto sucede en los alrededores. Cuando Santos irrumpe en su control, ella, presa del amor, concentra todo su poder en conquistarlo. Santos descubre que su primo, fue un antiguo amante de la autoritaria terrateniente, y ahora vive arruinado y consumido por el alcohol. El pobre miserable está a punto de vender a su hija Marisela, fruto de sus placeres con la doña, para comprar whisky. Santos la rescata y le ofrece una educación, mientras emprende la cruzada de liberar las tierras y a sus legítimos patrones de la violenta opresión de doña Bárbara. Poco a poco, Santos y Marisela se enamoran y la madre, celosa, desata una batalla campal. Al final, la doña, derrotada, desaparece.

Título: *La monja alférez.*

Producción: CLASA Films (México, 1944).
Dirección: Emilio Gómez Muriel.
Guión: Marco Aurelio Galindo; adaptación: Max Aub y Eduardo Ugarte.
Fotografía: Raúl Martínez Solares.
Música: Luis Hernández Bretón.
Escenografía: Jorge Fernández.
Duración: 87 minutos.

Intérpretes: María Félix (Catalina/don Alonso), José Cibrián (Juan de Aguirre), Ángel Garasa (Roger), Consuelo Guerrero de Luna (Lucinda), Delia Magaña (Elvira), José Pidal (don César), Fanny Schiller (Úrsula) y Eugenia Galindo (Cristina).

Sinopsis: Durante un alboroto en una taberna de Lima, el alférez Alonso mata a un jugador. Es el año 1624 y le encarcelan para ser ejecutado. Un fraile acude a su celda para confesarle y se encuentra con una increíble revelación: el reo es una mujer. Se llama Catalina y nació en la ciudad española de Valladolid. Aprendió esgrima y equitación de su padre, que al morir la dejó al desamparo de su tía Úrsula, quien la encerró en un convento. Gracias a la ayuda de su prometido de la infancia, Catalina escapó travestida de hombre. Su plan era llegar a Perú donde conseguiría el testamento de su padre, que le permitiría desenmascarar a la malvada Úrsula. Mandaron tras ella a Roger, quien, sin conocer su verdadera identidad, terminó al servicio del alférez Alonso. Una vez en Lima, mientras Alonso tiene que sortear las pasiones que despierta entre las mujeres, reaparece Juan. Sin reconocerse, deben batirse en duelo y Juan es desarmado, a pesar de lo cual su oportunismo es inestimable, una vez más, y con la ayuda de Roger salvará a Catalina de su prisión. Libre, y de nuevo en sus paños de mujer, consigue del virrey el famoso testamento y vuelve triunfal y enamorada de Juan a Valladolid. El pasaje del duelo está inspirado en uno de los hechos más dramáticos de la vida de la verdadera Catalina de Erauso, cuando luchó contra su hermano Miguel, en semejantes circunstancias, sin reconocerlo, llegando a herirle de muerte.

Título: *Amok.*

Producción: CLASA Films (México, 1944).
Dirección: Antonio Momplet.
Guión: Antonio Momplet y Erwin Wallfisch; diálogos: Max Aub (sobre un cuento de Stefan Zweig).
Fotografía: Alex Phillips.
Música: Agustín Lara.
Escenografía: Jorge Fernández y Edward Fitzgerald.
Duración: 105 minutos.

Intérpretes: María Félix (señora Trevis/señora Belmont), Julián Soler (doctor Jorge Martel), Stella Inda (Tara), Miguel Ángel Férriz (gobernador), José Baviera (señor Belmón), Paco Fuentes (doctor Rozier), Miguel Arenas (tío Jorge) y Kali Karlo (sirviente).

Sinopsis: Jorge, un médico alcohólico, viaja en un transatlántico donde se reencuentra con la señora Trevis, a quien no ve desde hace siete años, cuando se interrumpió el romance que ambos vivieron entre París y Montecarlo. Indignado con la propuesta de aquella rubia maléfica que le instigaba a aprovecharse del rico

Blumentahl, Jorge huye a la India para ejercer la medicina en condiciones precarias. Allí se cruza con la señora Belmont, idéntica a la Trevis, excepto por un detalle físico: ésta es morena y aquélla, rubia. La señora Belmont le pide al médico que le ayude a abortar y le ofrece diez mil dólares, pero Jorge se opone, cegado por su hermosura y, con la amargura que deja la melancolía, le dice que lo que quieres poseerla. Ella consigue escapar a la obsesión de Jorge y acude a una curandera para que le ayude con su propósito. La señora Belmont fallece tras la intervención y Jorge, para no deshonrarla, hace que el médico oficial declare que la muerte ha estado causada por un paro cardiaco. El marido sospecha y decide embarcar con Jorge y el féretro con destino a Inglaterra, donde se hará una autopsia. Cuando Jorge encuentra a bordo del barco a la señora Trevis pierde la razón, arroja el ataúd al mar, mata a un marinero y queda malherido al dispararse con su propia pistola. Ya nada puede salvarlo y muere desangrado.

Título: *El monje blanco.*

Producción: CLASA Films (México, 1945).
Dirección: Julio Bracho.
Guión: Julio Bracho y Jesús Cárdenas; diálogos adicionales: Xavier Villarrutia (basado en la pieza teatral de Eduardo Marquina).
Fotografía: Alex Phillips.
Música: Raúl Lavista.
Escenografía: Jorge Fernández.

Intérpretes: María Félix (Gálata Orsina), Tomás Perrín (conde Hugo de Saso/fray Paracleto), Marta Elva (Anabella), Ernesto Alonso (fray Can), Julio Villarreal (padre provincial) y Paco Fuentes.

Sinopsis: Nos trasladamos al sigo XIII, al corazón de la vida monástica italiana. Fray Paracleto está purgando una pena y, mientras, esculpe una imagen de la Virgen para el altar. Por su parte, fray Can recibe la visita de una mujer vestida de blanco, viva imagen de la escultura de Paracleto, que le remienda sus andrajosos hábitos. El monje no tiene dudas, cree que es la mismísima Virgen María. Los fieles hablan de las apariciones, pero no creen que se trate de Nuestra Señora sino de un misterioso monje blanco que vive en el monasterio.

El padre provincial decide averiguar la verdad sobre este misterio. Encuentra a la mujer que se ha aparecido a fray Can y hace que le hable de su vida. Se llama Gálata Orsina y vivía miserablemente en una pobre choza con su padre, el campesino Copolupo, quien la odiaba porque la madre de Gálata lo traicionó. Moraba en las tierras del rico conde Hugo del Saso. Un día, éste salió de caza con su prometida, la princesa Mina Amanda, quien tiene un inesperado y desagradable encuentro con Gálata, a quien humilla y acusa de ladrona ante el conde. Gálata se mostró orgullosa y el conde Hugo, impresionado con su belleza, la convirtió en su amante.

El padre provincial, sospechando la verdad, interroga entonces a fray Paracleto, quien resulta ser el mismísimo Hugo. Gálata quedó embarazada del conde y se lo confesó a la princesa Mina Amanda. Ésta obligó a Hugo a que desterrara a la campesina, a que quemara su choza y a traerle el corazón de su pequeño, como condición imprescindible para no romper su compromiso con él.

Así sea. Afortunadamente, fray Can llegó a tiempo de salvar al pequeño y se lo entregó a Anabella para que cuidara de él, pero ella no soporta la presión y el desprecio de la gente que piensa que el hijo es un bastardo suyo. Fray Can le dice que lo abandone junto a un árbol, mientras duerme, que no faltará una madre que lo recoja.

Mientras, el padre provincial dice a fray Paracleto que no puede darle la absolución. Entonces Gálata, vestida de monje blanco, visita a Hugo y le pregunta por su hijo. Él, sabiéndose condenado para siempre por culpa de aquella mujer, destruye la imagen que había esculpido. Cuando fray Can la ve piensa nuevamente que se trata de la Virgen y reprende a Hugo por la infamia. Cuando éste le contesta que, en realidad, ella es una hembra que quiere tentarle, fray Can intenta estrangularle. Gálata sale corriendo y el padre provincial impone a Hugo la penitencia de seguirla y vivir con ella un año, durante el cual esculpirá una nueva imagen, si quiere obtener la absolución. Gálata encuentra a su hijo al pie del árbol donde lo ha dejado Anabella y se va con él, seguidos por Hugo.

Título: *Remolino de pasión.*

Título original: *Vértigo.*
Producción: CLASA Films (México, 1945).
Dirección: Antonio Momplet.
Guión: Mauricio Magdaleno y Antonio Momplet (basado en la novela «Alberta», de Pierre Benoit).
Fotografía: Alex Phillips.
Música: Jorge Pérez.
Escenografía: Jorge Fernández.
Duración: 79 minutos.

Intérpretes: María Félix (Mercedes Mallea), Emilio Tuero (Arturo), Lilia Michel (Gabriela), Julio Villarreal (don Agustín), Emma Roldán (nana Joaquina), Arturo Soto Rangel (padre Moncada), Manuel Noriega, Jorge Mondragón, Rosa Castro, Eduardo Arozamena, Paco Fuentes, Lauro Benítez, Chelo López, Paco Astol y Francisco Pando.

Sinopsis: La agraciada Mercedes es obligada por su padre a casarse con Miguel, el administrador de su hacienda de Rinconada. Poco tiempo después muere el viejo, ella da a luz y se queda viuda. Completamente sola, Mercedes cría a su hija, a la que ha bautizado con el nombre de Gabriela, y con quince años la manda a estudiar a la capital. Gabriela regresa cinco años más tarde con su prometido para celebrar la boda en la finca familiar. Cuando se está celebrando la fiesta en honor de los novios, Mercedes vuelve a lucir su belleza en todo su esplendor, y su futuro yerno, Arturo, queda tan impactado, que ya no pensará en otra cosa que no sea en poseerla. Ella se descubre celosa de su hija y, ciega de pasión, hace lo imposible por retrasar la boda. Finalmente, Arturo la aborda en el campo y liberan su deseo. A partir de este desdichado encuentro, la culpa se hace insoportable y Mercedes quiere precipitar el matrimonio de su hija.

La víspera de la boda, Arturo se siente mal y manda a Gabriela a buscar al médico. Entonces interviene la fatalidad y ella muere al derrumbarse un puente que Arturo debía haber reparado. Él, consciente del peligro, envió a Gabriela sin advertirla de nada y ahora los remordimientos no le dejan vivir en paz. Arturo desaparece y Mercedes se queda sola, nadie quiere trabajar para ella, todos la desprecian. Pasa el tiempo y el joven, incapaz de olvidar, vuelve a buscarla. Ella le dispara y lo mata.

Título: *La devoradora.*

Producción: Jesús Grovas (México, 1946).
Dirección: Fernando Fuentes.
Guión: Paulino Maxip.
Fotografía: Ignacio Torres.
Música: Agustín Lara.

Intérpretes: María Félix (Diana de Arellano), Luis Aldás (Miguel Iturbe), Julio Villarreal (don Adolfo), Felipe de Alba (Pablo Ortega) y Arturo Soto Rangel.

Sinopsis: Todo está dispuesto para que el maduro y adinerado don Adolfo contraiga matrimonio con la jovencísima Diana de Arellano. Cuando Pablo, su primer novio, recibe esta noticia se queda completamente desolado. Para desesperación del joven, Diana se divierte jugando con él. Él no puede más y decide matarla, pero termina por suicidarse delante de ella. Fría e indiferente, sin importarle el cuerpo que yace aún caliente, ella procede a probarse su vestido nupcial.
Para evitar el escándalo, la diva involucra a don Adolfo y a su sobrino Miguel para que se lleven el cuerpo. Miguel es un joven médico que acaba de volver de los Estados Unidos de América, donde ha terminado su carrera. Tampoco él queda libre del embrujo. Decide contarle a su tío la verdad de sus escarceos con su prometida, pero ella se le había adelantado advirtiendo a don Adolfo de la conversación que se iba a producir. Miguel se exaspera, se emborracha y la mata. Inmediatamente después se entrega a la policía.

Título: *Enamorada.*

Producción: Panamericana Films (México, 1946).
Dirección: Emilio Fernández.
Guión: Íñigo de Martino, Benito Alazraki y Emilio Fernández.
Fotografía: Gabriel Figueroa.
Música: Eduardo Hernández Moncada; canciones: Pedro Galindo y Franz Schuber.
Escenografía: Manuel Fontanals.
Duración: 99 minutos.

Intérpretes: María Félix (Beatriz Peñafiel), Pedro Armendáriz (general José Juan Reyes), Fernando Fernández (padre Rafael Sierra), José Morcillo (don Carlos Peñafiel), Arturo Soto Rangel (juez), Beatriz Germán Fuentes (Adelita), Eduardo Arozamena, Miguel

Inclán, Manuel Donde, Eugenio Rossi, Norma Hill, Juan García, José Torvay, Pascual García y Enriqueta Reza.

Sinopsis: La tropa zapatista del general José Juan Reyes toma Cholula, residencia de la guapa Beatriz Peñafiel, quien se afana en preparar su boda con un norteamericano. Mientras espera la llegada de su prometido, se cruza con el general Reyes y comienza una persecución implacable, a la que ella responde con arriesgadas ofensas. José Juan lo prueba todo sin éxito, la ronda con serenatas y le pide perdón por sus atrevimientos, pero no hay nada que hacer. El tiempo apremia, el americano regresa y los zapatistas tienen que abandonar Cholula para no tener un enfrentamiento con los federales.
El día de la boda, cuando Beatriz está a punto de dar el «sí quiero», ve marchar al general. En ese momento reacciona y, disculpándose con su padre y con su novio, corre a reunirse con el revolucionario.

Título: *La mujer de todos.*

Producción: Filmex (México, 1946).
Dirección: Julio Bracho.
Guión: Mauricio Magdaleno, Julio Bracho y Antonio Momplet; diálogos: Xavier Villarrutia (basados en una obra de Robert Thoren).
Fotografía: Alex Phillips.
Música: Raúl Lavista.
Escenografía: Jesús Bracho.
Duración: 90 minutos:

Intérpretes: María Félix (María Romano), Armando Calvo (capitán Jorge Serralde), Gloria Lynch (esposa de Juan Antonio), Alberto Galán (coronel Juan Antonio Cañedo) y Arturo Soto Rangel.

Sinopsis: El coronel mexicano Cañedo está en Madrid cuando es reclamado desde su país. Antes de partir organiza una fiesta muy especial para su amante, María.
Ésta le acompaña a México, donde le esperan su mujer y su sobrina Angélica, así que ella debe conformarse con vivir en una mansión apartada. Allí conoce al capitán Jorge y ni el hecho de que sea el hermanastro secreto de Cañedo, ni que sea el prometido de Angélica, evita que se enamoren. Cuando Jorge descubre que María es la amante de Cañedo, la abandona; pero ella le sigue, renunciando a Cañedo y a sus riquezas. Pasado un tiempo vuelven a la capital, donde Jorge pretende vivir modestamente. Pero Cañedo le busca y le reta a un duelo. María, para evitarlo, vuelve con Cañedo y alega ante Jorge que no se acostumbra a prescindir del lujo. Jorge la llama «mujer de todos».

Título: *La diosa arrodillada.*

Producción: Panamericana Films (México, 1947).
Dirección: Roberto Gavaldón.
Guión: José Revueltas y Roberto Gavaldón; guión técnico: Tito Davison (basado en un cuento de Ladislao Feodor).
Fotografía: Alex Phillips.
Música: Rodolfo Halffter; canciones: Agustín Lara.
Escenografía: Manuel Fontanals.
Duración: 104 minutos.

Intérpretes: María Félix (Raquel Serrano), Arturo de Córdova (Antonio Ituarte), Rosario Granados (Elena), Fortunio Bonanova (Nacho Gutiérrez), Rafael Alcayde (Demetrio), Carlos Martínez Baena (Esteban), Eduardo Casado, Luis Mussot, Carlos Villarias, Natalia Gentil, Paco Rodríguez, Rogelio Fernández, Alfredo Varela y Fernando Casanova.

Sinopsis: Un magnate de la industria química, Antonio Ituarte, compra para su esposa Elena una estatua de una mujer desnuda, obra del escultor Demetrio. El momento más oportuno para hacerle tan significativo regalo es en su aniversario, con el particular de que la modelo que posó para Demetrio es la ex amante de Antonio, la espléndida *vedette* Raquel Serrano. Raquel no quiere renunciar a Antonio y no le pone las cosas fáciles. Durante la fiesta de aniversario la modelo acude a la casa y poco después Elena muere de una grave enfermedad de la que se estaba tratando.

Antonio ya no tiene escapatoria, Raquel quiere casarse con él y tras un largo viaje regresan a la casa donde vivió Elena. Antonio, como si despertara de una ebriedad, recuerda que la fatídica noche intentó envenenar a Raquel pero debió ser Elena la que bebiera la copa ponzoñosa. Destrozado y decidido a abandonarla, confiesa a Raquel cuáles fueron sus verdaderas intenciones, pero ella no se resigna y ve la solución para asegurarse el matrimonio: el chantaje. Finalmente, se casan aunque él no le dirige la palabra hasta pasado un tiempo en el que sucumbe a su pasión.

Mientras tanto, Nacho, compañero de trabajo de Raquel, también quiere su parte y pide dinero a la feliz esposa. Ante la negativa de ésta, Nacho acude a la policía y Antonio es encarcelado. La necropsia de su primera esposa determina que no murió envenenada (un *flashback* nos muestra cómo la copa se derramó sobre la alfombra) y Raquel corre para dar la buena noticia a su marido. Cuando llega a la cárcel, él está agonizando porque ha ingerido veneno y muere en sus brazos.

Título: *Río escondido.*

Producción: Raúl de Anda (México, 1947).
Dirección: Emilio Fernández,
Guión: Emilio Fernández y Mauricio Magdaleno.
Fotografía: Gabriel Figueroa (fragmentos en color).
Música: Francisco Domínguez.
Escenografía: Manuel Fontanals.
Duración: 96 minutos.

Intérpretes: María Félix (Rosaura Salazar), Domingo Soler (cura), Carlos López Moctezuma (Regino Sandoval), Fernando Fernández (Felipe Navarro), Arturo Soto Rangel (don Felipe), Columba Domínguez (Merceditas), Eduardo Arozamena, Juan García, Manuel Donde, Carlos Muzquiz, Agustín Isunza, Lupe del Castillo y Roberto Cañedo.

Sinopsis: El presidente de la República envía a la bella maestra rural Rosaura a enseñar al infortunado pueblo de Río Escondido, oprimido por el cacique Regino, que ha cerrado la escuela para convertirla en su establo.

Cuando Rosaura llega al pueblo, el cacique consiente en entregarle la escuela para que vuelva a abrirla. Rechaza a la anterior maestra, convertida en su amante, para sustituirla por la recién llegada. Pero las negativas de Rosaura no hacen sino empeorar la situación de los aldeanos. Con la llegada de un período de sequía, Regino no permite que nadie coja el agua del aljibe, e incluso un niño es tiroteado por intentarlo. Los campesinos, indignados y hartos de beber pulque, acorralan a Regino durante el velatorio del niño muerto. Éste escapa atemorizado y se emborracha para calmarse. Ebrio, intenta violar a Rosaura, que lo mata a tiros. Ella, que padece del corazón, sufre un ataque cardíaco que la deja ciega. Aun así, escribe un informe de todo lo sucedido para el presidente de la República y muere entre la agonía y la tristeza de un pueblo apaleado.

Título: *Que Dios me perdone.* / **Título original:** *Que Dios me perdone al caer la tarde.*

Producción: Filmex (México, 1947).
Dirección: Tito Davison.
Guión: Xavier Villarrutia; adaptación: José Revueltas y Tito Davison.
Fotografía: Alex Phillips.
Música: Manuel Esperón y Ricardo López Méndez.
Escenografía: José Rodríguez Granada.
Duración: 90 minutos.

Intérpretes: María Félix (Sofía/Lena Kovach), Fernando Soler (don Esteban Velasco), Julián Soler (Mario Colina Vázquez), Tito Junco (Ernesto Serrano), Ernesto Vilches (Medina), Carmen González (Alicia), Fanny Schiller (Olga), Jose Baviera, Pepe Martínez, Armando Velasco, Nicolás Rodríguez, Victorio Blanco, Paco Martínez y Hernán Vera.

Sinopsis: Esteban, un viudo con éxito en los negocios, conoce a Lena Kovach, una espía extranjera, agitada por su trabajo en el periodo de la Segunda Guerra Mundial. Lena tiene que seducir a Esteban, ante la mirada atónita y desesperada de su socio y futuro yerno Ernesto. Éste intentará enamorar a Lena, pero no tiene ninguna posibilidad de éxito. Sin embargo, gracias a la factura de una joya, el despreciable Ernesto conocerá la verdadera identidad de Lena, que en realidad se llama Sofía, y consigue que la espía consienta al chantaje y se entregue a él. Loco de deseo, Ernesto decide acabar con Esteban y aprovecha un viaje al que van los tres juntos para arrojarlo al agua. Pero caen los dos, y como Lena había vertido un narcótico en la bebida de Ernesto, al final se ahogan ambos.
Lena hereda una fortuna de Esteban, pero se la entrega a su sobrina Alicia y le confiesa toda la verdad. A continuación, la espía recibe la noticia de la muerte de su hija en un campo de concentración; desesperada, piensa en quitarse la vida: «Que Dios me perdone», murmura.

Título: *Belleza maldita/maclovia.* / **Título original:** *Maclovia.*

Producción: Filmex (México, 1948).
Dirección: Emilio Fernández.
Guión: Mauricio Magdaleno; adaptación: Emilio Fernández.
Fotografía: Gabriel Figueroa.
Música: Antonio Díaz Conde.
Escenografía: Manuel Fontanals.
Duración: 100 minutos.

Intérpretes: María Félix (Maclovia), Pedro Armendáriz (José María), Carlos López Moctezuma (Genovevo de la Garza), Columa Domínguez (Sara), Arturo Soto Rangel (don Justo), Miguel Inclán (tata Macario), Roberto Cañedo, José Morcillo, Manuel Donde, Eduardo Arozamena, Ismael Pérez, José Torvay y Juan García.

Sinopsis: El pescador indígena José María y la criolla Maclovia, de Janitzio, deciden casarse, a pesar de la oposición de Macario, padre de ella y jefe de los indios. Por si no tenían suficiente, llega un destacamento de federales que queda al mando del sargento Genovevo, acosador habitual de Maclovia. Pero además ahora Genoveno tiene poder.

Cuando por fin los enamorados consiguen el beneplácito de Macario y pasean libremente su amor en una canoa. Genovevo hunde la embarcación a tiros y se abalanza sobre Maclovia. José María, para defenderla, le apuñala por la espalda, lo que le costará una pena de veinticinco años de prisión. Una vez curado, el sargento ofrece a Maclovia la posibilidad de liberar a su amor si ella se entrega a él. Ella accede. El cabo Mendoza, otro indígena, libera a José María un poco antes de lo previsto, y éste llega a tiempo de evitar el sacrificio de su amada. Los hombres luchan y Genovevo cae al agua.

Aún tendrán que lidiar con los celos de Sara, una indígena enamorada de José María que, para desprestigiar a su competidora, difunde el rumor de que ésta ha intentado escapar con un forastero. El pueblo, muy contrariado por sus ancestrales tradiciones, los apedrea, pero son defendidos por el cabo Mendoza y sus hombres, y consiguen escapar para dar rienda suelta a su amor.

Título: *Doña diabla.*

Producción: Filmex (México, 1948).
Dirección: Tito Davison.
Guión: Tito Davison; diálogos: Ricardo López Méndez (basado en una obra teatral de Luis Fernández Ardavín).
Fotografía: Alex Phillips.
Música: Manuel Esperón.
Escenografía: Jorge Fernández.
Duración: 87 minutos.

Intérpretes: María Félix (Ángela), Víctor Junco (Adrián Villanueva), Crox Alvarado (Esteban), José María Linares Rivas (Sotelo Vargas), Perla Aguilar (Angélica), José Baviera, Luis Beristáin y Fernando Casanova.

Sinopsis: Ángela estrena su matrimonio descubriendo que su marido es un hombre frívolo que quiere aprovecharse de ella. De nuevo la Félix se ve interpretando el papel que mejor borda, la vampiresa implacable, vengadora, apisonadora de hombres. Pero en esta ocasión su interpretación romperá todos los moldes; ahora ha ganado en expresividad y sus recursos son mucho más ricos, domina su voz y sus movimientos con la misma agilidad que si se estuviera interpretándose a sí misma.

Título: *Mare nostrum.*

Producción: Suevia Films (España, 1948).
Dirección: Rafael Gil.
Guión: Antonio Abad Ojuel (basado en la novela de Vicente Blasco Ibáñez).
Fotografía: Alfredo Fraile.
Música: Maestro Quintero.
Escenografía: Enrique Alarcón.
Duración: 106 minutos.
Intérpretes: María Félix (Freya), Porfidia Sanchiz (doctora), Fernando Rey (Ulises), Guillermo Marín (von Kramer), José Nieto (Kart), Juan Espantaleón, Ángel de Andrés, Rafael Romero Marchent, Nerio Bernardi, Osvaldo Genazzani, Arturo Marín, Félix Fernández, José Franco, José Prada, Manuel Aguilera, Santiago Rivero y Eduardo Fajardo.

Sinopsis: Adaptación de la novela de Blasco Ibáñez sobre las reacciones de los hombres ante una mujer con un físico inaudito. Ulises Ferragut, capitán del *Mare Nostrum*, un navío de la Marina mercante española que parte de Nápoles, conoce a la hermosa Freya y queda instantáneamente rendido ante su belleza.

Título: *Una mujer cualquiera.*

Producción: Suevia Films (España, 1949).
Dirección: Rafael Gil.
Guión: Miguel Mihura y Rafael Gil.
Fotografía: Ted Pahle.
Música: Manuel Parada.
Escenografía: Enrique Alarcón.
Duración: 89 minutos.

Intérpretes: María Félix (Nieves Blanco), Antonio Vilar (Luis), Mary Delgado (Isabel), José Nieto (Gálvez), Manuel Morán, Eduardo Fajardo, Carolina Jiménez, Juan Espantaleón, Juan de Landa, Fernando Fernández de Córdoba, Tomás Blanco, Ángel de Andrés, Ricardo Acero, Julia Caba Alba, Maruja Isbert, Félix Fernández, Rafael Bardem, José Prada, Manuel Requena, Manuel Aguilera, Luis Rivera, Arturo Marín, Manuel Sanromán y Julia Lajos.

Sinopsis: Fernando Méndez-Leite, en *Historia del Cine Español*, escribe sobre esta película: «El argumento de Miguel Mihura ha sido convertido en un guión de calidad por el propio realizador. Hay escenas de crudeza que hubieran podido paliarse en aras de un buen gusto, que es exigencia primordial en toda plasmación. La preocupación de estar supeditado al lucimiento de la belleza de María Félix resta facultades al director para poder actuar sin hándicap de ninguna clase.»

Título: *La corona negra.*

Producción: Suevia Films (España, 1950).
Dirección: Luis Saslavsky.
Guión: Jean Cocteau y Miguel Mihura.
Fotografía: Antonio L. Ballesteros y Valentín Javier.
Música: Juan Quintero.
Escenografía: Enrique Alarcón.
Duración: 97 minutos.

Intérpretes: María Félix (Mara), Rossano Brazzi (Andrés), Vittorio Gassman (Mauricio), José María Lado (señor Russel), Pieral (el enano Pablo), Julia Caba Alba y Concha López Silva.

Sinopsis: Jean Cocteau llamó «la corona negra» a las aves carroñeras que vuelan formando círculos sobre la agonía de la carne. Esa idea le inspiró este relato policíaco ambientado en territorio marroquí. Mara, una mujer amnésica, vive en Tánger. Un ingeniero, Andrés, la encuentra y le ayuda a recuperar su pasado. Una misteriosa llave que siempre lleva consigo les conduce a un panteón donde escondió un cofre con diamantes. A su alrededor aparecen todo tipo de individuos raros y siniestros, esperando su momento para actuar.

Título: *La noche del sábado.*

Producción: Suevia Films (España, 1950).
Dirección: Rafael Gil.
Guión: Antonio Abad Ojuel (basado en la obra de Jacinto Benavente).
Fotografía: Michel Kelber.
Música: Manuel Parada.
Escenografía: Enrique Alarcón.

Intérpretes: María Félix (Imperia), Rafael Durán (príncipe Miguel), José María Soane (Leonardo), Manuel Fábregas (príncipe Florencio), María Rosa Salgado (Donina), Mariano Asquerino, Virgilio Teixeira, Juan Espantaleón, Julia Delgado Caro, Luis Hurtado, María Asquerino, Manuel Káiser, Diego Hurtado, José Prada, Fernando Aguirre, Carmen Sánchez, Manuel Aguilera, Francisco Bernal, Antonio Fraguas, José Vivó, Manuel Rosellón y Fernando Fernán Gómez.

Sinopsis: Una puesta en escena suntuosa para Imperia, la protagonista de este drama teatral de Jacinto Benavente de 1903, donde ya apunta una de sus notas características: la sátira social con matices irónicos dirigida contra las clases superiores. Los personajes de esta comedia cosmopolita dialogan de modo absurdo y pomposo.

El príncipe Miguel debe asumir la responsabilidad del trono de Suabia ante la muerte del príncipe Florencio, para lo cual reclama el apoyo de Imperia. Ésta, con la muerte de su hija, renuncia a la realidad y se sumerge en un mundo propio para lograr sus sueños junto a Miguel.

Título: *Mesalina.*

Título original: *Messalina.*
Producción: Suevia Films-Produzione Gallone-Filmsonor (Italia-Francia-España, 1951).
Dirección: Carmine Gallone.
Guión: Carmine Gallone, Albert Valentín, C. V. Ludovice, Nino Novarese; diálogos: Pierre Laroche.
Fotografía: Anchise Brizzi.
Música: Renzo Rossellini.
Escenografía: Gastone Medín.
Duración: 95 minutos.

Intérpretes: María Felix (Mesalina), Georges Marchal (Calus Silius), Delia Scala (Cinzia), Jean Tissier (Mnester), Memo Benssi, Carlo Ninchi, Jean Chevrier, Erno Crisa, Ave Ninchi, Germaine Kerjean, Michel Vitold, Camillo Pilotto, Luigi Almirante, Césare Barbetti, Greta Gonda, Lamberto Picasso, Giuseppe Varni, Gino Saltamerenda, Giovanna Galletti, Giulio Battiferri, Archille Mageroni, Ugo Sasso, Nino Javert, Lia Murano, Elsa Pavani, Carlo Duse, Amedeo Trilli, Pietro Tordi, Roberto Spiombi, Pino Locchi, Alberto Plebani, Dariz Togni, Bruno Tocci, Elena Leone, Armando Furlai, Nino Randa, Maria Pia Bernardini, Guglielmo Leoncini, Walter Brandy, Ama De Rio, Sergio Bergonzelli y Livia Cordaro.

Sinopsis: Amor, venganza y suicidio son los parámetros principales que conforman la historia de la pérfida Mesalina, que quiere derrocar del trono de Roma a su marido Claudio, para sustituirlo por su amante: una de tantas licencias que se permitió la emperatriz más famosa de la historia del Imperio Romano.

Título: *Hechizo trágico.* / **Título original:** *Incantesimo tragico.*

Producción: Epic Films (Italia, 1951).
Dirección: Mario Sequi.
Guión: Luigi Bonelli y Mario Sequi.
Fotografía: Piero Portalupi.
Música: Raman Vlad.
Escenografía: Severino d'Eugenio.
Duración: 85 minutos.

Intérpretes: María Félix (Oliva), Rossano Brazzi (Pietro), Charles Vanel (Bastiano), Massimo Serato (Berto), Irma Gramática (abuela), Giulio Donnini, Italia Marchesini, Fausto Guerzoni, Ada Dondini y Franco Coop.

Sinopsis: A mediados del siglo XIX unas joyas malditas perturbarán la estabilidad de una familia italiana. Su vida se desarrolla tranquilamente, en un contexto rural, enmarcado en la belleza del paisaje toscano, cuando unas gemas orientales caen en manos de Olivia. Como un objeto maléfico, las joyas deslumbran a la protagonista y la envuelven en su manto satánico, tejido de transgresiones y sangre, hasta convertir a Olivia en la ejecutora de las desgracias de todos cuantos la rodean.

Título: *La pasión desnuda.*

Producción: Interamericana (Argentina, 1952).
Dirección: Luis César Amadori.
Guión: Gabriel Peña y Luis César Amadori.
Fotografía: Antonio Meryo.
Escenografía: Álvaro Durañona y Vedia.
Música: Julián Bautista.
Duración: 111 minutos.

Intérpretes: María Félix (Malva Rey), Carlos Thomson (Pablo Valdés), Eduardo Cuitiño, Héctor Calcagno, Diana Ingro, Milagros de la Vega, Diana Mirian Jones y Margarita Burke.

Sinopsis: La trama de este filme es un idilio desenfrenado entre Malva Rey y Pablo Valdés, evocando la leyenda de Thais, la cortesana de Alejandría. Pero la cinta está excesivamente recargada con pretextos comerciales, lo que en cierto modo llega a deslucir el trabajo de los protagonistas.

Título: *Camelia.*

Producción: Filmex-Suevia Films (México-España, 1953).
Dirección: Roberto Gavaldón.
Guión: Mauricio Wall (Gregorio Walerstein) y José Arenas; adaptación: Roberto Gavaldón y Edmundo Báez (inspirado en «La Dama de las Camelias», de Alejandro Dumas).
Fotografía: Gabriel Figueroa.
Música: Antonio Díaz Conde.
Escenografía: Jorge Fernández.
Duración: 110 minutos.

Intérpretes: María Félix (Camelia), Jorge Mistral (Rafael Torres), Carlos Novaro (Enrique), Renée Dumas (Nancy), Miguel Ángel Férriz (doctor del Real), Fernando Casanova, Fanny Schiller, Florencio Castelló, Enrique Díaz Indiano y José Chávez.

Sinopsis: Ésta es la historia del amor inconveniente entre el torero Rafael y la actriz Camelia, que está muy enferma y depende de la morfina para aliviar sus dolores. Cuando asumen su relación y deciden casarse, Camelia descubre que hace dos años tuvo un pequeño romance comprometedor con el hermano de su prometido, Enrique, quien la obliga a renunciar al amor de Rafael. Éste se refugia en los toros, pero no puede olvidar a Camelia. La actriz cada vez está peor y no la dejan actuar y ya sólo tiene dos ilusiones que desea cumplir antes de morir: reencontrarse con Rafael y conseguir dinero para poder comprar su última representación de *La dama de las camelias*. Al final logra sus propósitos y muere en brazos de su amor tras su última actuación.

Título: *El rapto.*

Producción: Filmadora Atlántida (México, 1953).
Dirección: Emilio Fernández.
Guión: Emilio Fernández, Íñigo de Martino y Mauricio Magdaleno.
Fotografía: Agustín Martínez Solares.
Música: Manuel Esperón.
Escenografía: Salvador Lozano Mena.
Duración: 113 minutos.

Intérpretes: Jorge Negrete (Ricardo Alfaro), María Félix (Aurora Campos y Campos), Andrés Soler (don Cástulo), José Elías Moreno, Rodolfo Landa, Emma Roldán, José Ángel Espinosa, Manuel Noriega y Rogelio Fernández.

Sinopsis: Aurora, una mujer deseada por todos, quiere comprar la casa del ranchero Ricardo, al enterarse de que éste ha muerto. Las autoridades de Santiago de Alfaro han aceptado sus condiciones y no se oponen a la venta. De repente reaparece Ricardo, demostrando a los presentes que todo ha sido un error y les comunica que quiere recuperar su casa. La única solución que ofrecen el presidente municipal Constancio, el tesorero Cándido, el secretario Prudencio y el juez Cástulo es que los dos propietarios se casen, pues no pueden devolverle a Aurora la cifra que les pagó por la vivienda.
Los implicados acceden, pero esta medida obligada resulta desastrosa. Ella se aísla en un cuarto y él se emborracha sin cesar, hasta que decide sacar fuerzas de flaqueza y cortejar a su mujer. Él lo intenta por todos loe medios posibles, y cuando ya parece todo perdido ella se declara completamente enamorada del ranchero.

Título: *Reportaje.*

Producción: Tele Voz (México, 1953).
Dirección: Emilio Fernández.
Guión: Emilio Fernández y Mauricio Magdaleno.
Fotografía: Alex Phillips.
Música: Antonio Díaz Conde.
Duración: 88 minutos.

Intérpretes: Arturo de Córdova (Bernardo), Dolores del Río (María Enriqueta), Jorge Negrete (Humberto Salazar), María Félix, Pedro Armendáriz, María Elena Marqués (Gabriela), Roberto Cañedo (Aurelio), Pedro Infante (Damián), Carmen Sevilla (Eugenia Bazán), Joaquín Pardabé (Bonifacio), Pedro López, Víctor Parra, Julio Villarreal, Antonio Espino, Ángel Férriz y todos los actores importantes del momento.

Sinopsis: Emilio Fernández toma la idea del francés Julien Duvivier y crea un cúmulo de breves historias melodramáticas, ligadas por un hilo conductor común: un pretexto periodístico. Fue un trabajo de colaboración colectiva —salvo Mario Moreno *Cantinflas,* que se negó a trabajar gratuitamente— de todos los rostros de la industria, para inyectar algunos beneficios a las dañadas arcas del ANDA.

Título: *La bella Otero.*

Producción: Les Films Modernes-I.C.S.-Astoria Films (Francia-Italia, 1954).
Dirección: Richard Pottier.
Guión: Marc Gilvert Sauvajon (inspirado en los «Souvenirs», de Carolina Otero).
Fotografía: Michel Kelbert.
Música: Georges van Parys.
Escenografía: Robert Gys.
Duración: 85 minutos.

Intérpretes: María Félix (Carolina Otero), Jacques Berthier (Jean Chastaing), Louis Seigner, Maurice Teynac, Paolo Spota, Marie Sabouret, Jean Marc Tennber, Jean Paqui, Nando Bruno, Paolo Stoppa y Nerio Bernardi.

Sinopsis: Es sorprendente la exhaustiva fidelidad con la que se recrea el París de 1900 para contar la vida de la gran bailarina Carolina Otero, mujer que encarnó todos los placeres prohibidos: la lujuria, el vicio...
El contexto social gallego de la segunda mitad del siglo XIX podría calificarse de sórdido, conservador y machista, aparte de estar dominado por la Iglesia y por una pequeña burgue-

sía mísera y mediocre. En 1868 iluminó Pontevedra Agustina Carolina Otero Iglesias. Carolina se convirtió en «La Bella Otero», pero antes de ser una de las bailarinas más hermosas y famosas de todos los tiempos, sufrió una violación y los abusos de los señores de las casas en las que servía (algo normal en la época).

Título: *Frech can-can.*

Producción: Franco London Film-Jolly Film (Francia-Italia, 1954).
Dirección: Jean Renoir.
Guión: André-Paul Antonie; diálogos: Jean Renoir.
Fotografía: Michel Kelbert.
Música: Georges van Parys.
Escenografía: Max Douy.
Duración: 105 minutos.

Intérpretes: Jean Gabin (Danglard), Françoise Arnoul (Nini), María Félix (Margot «La Belle Abbesse»), Jean Robert, Max Dalban, Gaston Modot, Michele Philippe, Edith Piaf, Michel Piccoli, Jean-Roger Caussimon y Valentine Tessier.

Sinopsis: Esta magnífica comedia se inspira en la vida de Charles Zidler, fundador del célebre local parisiense Moulin Rouge, en el periodo en el que irrumpió en la tranquilidad de un lugar bucólico y periférico de la capital francesa, Montmartre. Emprende la película con el momento en que Danglard (representación de Zidler) se distancia de la *La Belle Abbesse*, prendado de Nini, una bailarina que conoce en un salón.

Título: *Los héroes están cansados.* / **Título original:** *Les héros sont fatigués.*

Producción: Fila Films-Terra Films (Francia-Alemania, 1955).
Dirección: Yves Ciampi.
Guión: Yves Ciampi y Jacques-Laurent Bost (basado en un reportaje de Christine Garnier).
Fotografía: Henri Alekan.
Música: Louigny.
Escenografía: René Moulaert.

Intérpretes: Yves Montand (Michel Rivière), María Félix (Mannuela), Jean Servais, Curd Jurgens, Gérard Oury, Gert Froebe.

Sinopsis: Dos glorificados pilotos de guerra, que se enfrentaron en bandos enemigos, coinciden, al finalizar el conflicto bélico en un rincón de África, atraídos por el mismo motivo: un puñado de diamantes. La toma y posesión del tesoro incita a los hostiles adversarios a unirse a favor de su causa común, gracias a la cual, paradójicamente, pretenden conseguir una posición de respetabilidad.

Título: *La escondida.*

Producción: Alfa Films (México, 1955).
Dirección: Roberto Gavaldón.
Guión: Miguel Lira; adaptación José Revueltas, Gunther Gerszo y Roberto Gavaldón.
Fotografía: Gabriel Figueroa.
Música: Raúl Lavista.
Escenografía: Gunther Gerszo.
Duración: 100 minutos.

Intérpretes: María Félix (Gabriela), Pedro Armendáriz (Felipe Rojano), Andrés Soler Soler (general Nemesio Garza), Arturo Martínez (don Cosme), Domingo Soler (tata Agustino), Jorge Martínez de Hoyos (Máximo Tepal), Carlos Agosti (Octavio Montero), Sara Guash, Miguel Manzano, Carlos Riquelme, Eduardo Alcaraz, Rafael Alcayde, Manuel Donde, Nora Veryan y Alicia del Lago.

Sinopsis: Gabriela, una vendedora de aguamiel de Tlaxcala, consigue prosperar y alcanzar la riqueza gracias a su irresistible encanto.
Durante su infancia y juventud se crió con su padre y fue la novia del humilde Felipe, ambos empleados en la hacienda del perverso y lujurioso Esteban.
Por otra parte, en esta historia también se cruza don Ventura, un hombre tan ansioso por tener a Gabriela que no duda en involucrarla en un serio problema al acusarla de robo, para evitar así que pudiera marcharse con Felipe a Tehuacan. La única forma de salvar a la joven es que Felipe se declare culpable del falso hurto, por lo que es obligado a alistarse en el Ejército Nacional durante un periodo mínimo de dos años. Convertido en sargento, Felipe goza de un permiso y vuelve para ver a los suyos. Pero ante su sorpresa, la situación ha cambiado enormemente, cuando descubre que Gabriela está en la ciudad de Tlaxcala para recibir al nuevo gobernador, que además es su amante, el general Garza.
Cuando coinciden los tres en el mismo tren, un ofuscado Felipe, para sorpresa de su compañero el pacifista Herrerías, respalda una rebelión inmediata. Garza muere a traición, con la bandera blanca en la mano y Felipe es hecho prisionero y atado a un maguey para que lo devoraran los zopilotes. Gabriela corre a abrazar a Felipe, que la rechaza furioso y espera la llegada de los revolucionarios para que le liberen. Cuando esto sucede, lo primero que hace es ir a por la traidora para matarla, pero sólo la golpea y la abraza.
Felipe, convertido en general, colmará de lujos a Gabriela. Pero el destino les reserva una desagradable sorpresa, una última conjura que acabará con la vida de Gabriela.

Título: *Canasta de cuentos mexicanos: La tigrasa, Una solución inersperada y Canasra.*

Producción: José Kohn (México, 1955).
Dirección: Julio Bracho.
Guión: Juan de la Cabada (adaptación del libro de B. Traven).
Fotografía: Gabriel Figueroa.
Música: Lan Adomián.
Escenografía: Edward Fitzgerald.

Intérpretes: En «La Tigresa»: María Félix (Luisa Bravo) y Pedro Armendáriz (Carlos Cosío); en «Una solución inesperada»: Arturo de Cordova (Pierre Duval) y Lorraine Chanel (Lorraine Arnaud); en «Canasta»: Mari Blanchar (Gladis Winthrop) y Jack Kelly.

Sinopsis: *La Tigresa* es Luisa, una mujer a la que todos los hombres temen y desean. Ella se enamora de Carlos, un ganadero norteño y se casa con él. Desde entonces para Carlos su jornada consistirá en domar a su esposa. Desesperado, recurre a unos métodos un tanto estrafalarios: mata a un loro y a un gato porque no le servían.
Una solución inesperada es la historia del matrimonio mal avenido de los franceses Pierre y Lorrain, que viven en Txaco. Durante un periodo de separación transitorio, ambos tienen una relación extramatrimonial. Nacerá el hijo de la pareja, Alberto, que de mayor manifiesta su deseo de casarse con Laura. Pierre tiene que confesar que es hija suya, fruto de su aventura, y Lorrain le secunda contando que Alberto es hijo del padre de Laura.
Canasta nos muestra a dos turistas norteamericanos, Eddie y Gladis, que quedan fascinados con las canastas que hace un indígena y deciden abrir una tienda en Nueva York para venderlas, aprovechando lo barato que resulta comprárselas al indio. La pareja está emocionada con el negocio, pero el artesano les anuncia que él disfruta haciendo algunas canastas

diarias, pero que si le hacen un pedido masivo tendrá que cobrárselas más caras. Los mediocres empresarios vuelven a su casa desilusionados.

Título: *Tizoc (amor indio).* / **Título original:** Tizoc.

Producción: Producciones Matouk Films (México, 1956).
Dirección: Ismael Rodríguez.
Guión: Ismael Rodríguez, Manuel R. Ojeda y Ricardo León; adaptación: Ismael Rodríguez y Carlos Orellana.
Fotografía: Alex Phillips.
Música: Raúl Lavista.
Escenografía: Jorge Fernández.
Duración: 110 minutos.

Intérpretes: María Félix (María), Pedro Infante (Tizoc), Eduardo Fajardo, Julio Aldama, Alicia del Lago, Andrés Soler, Miguel Arenas, Carlos Orellana y Manuel Arnide.

Sinopsis: Tizoc es un indígena descendiente de príncipes tacuates de la sierra oaxaqueña. Un día llegan al pueblo don Enrique y su hija María, que intenta superar la ruptura de su relación con el capitán Arturo. Enrique y Tizoc tienen un altercado Enrique le insulta pero más tarde el indio le salva la vida matando a un caballo desbocado. María que le está muy agradecida por salvar a su tío le entrega su pañuelo para que se limpie las heridas, ignorante de la tradición local: una mujer sólo da su pañuelo a un hombre cuando acepta casarse con él.
Mientras tanto, María se ha reconciliado por carta con Arturo y espera su llegada. Tizoc, ajeno a todo, construye la casa donde vivirán juntos cuando se casen. El enredo va *in crescendo* cuan-

do llega Arturo y el final, como no podía presentarse de otra manera, es terriblemente trágico.

Título: *La cucaracha.*

Producción: Películas Rodríguez (México, 1958).
Dirección: Ismael Rodríguez.
Guión: José Bolaños e Ismael Rodríguez; adaptación: Ismael Rodríguez, José Luis Celis y Ricardo Garibay.
Fotografía: Gabriel Figueroa.
Música: Raúl Lavista.
Escenografía: Edward Fitzgerald.

Intérpretes: María Félix (la Cucaracha), Dolores del Río (Isabel), Pedro Armendáriz (coronel Valentín Razo), Emilio Fernández (coronel Antonio Zeta), Antonio Aguilar (capitán Ventura), Ignacio López Tarso (Trinidad), David Reynoso (coronel Ricardo Zúñiga), Emma Roldán (comadrona), Flor Silvestre, José Carlos Méndez, Cuco Sánchez, Irma Torres, Miguel Manzano, Lupe Carriles, Humberto Almazán, Alicia del Lago, Tito Novaro, Manuel Trejo Morales, Antonio Haro Oliva, Amado Sumaya, Mario Jarero, Manuel Vergara, Guillermo Hernández, Magdaleno Barba y Armando Gutiérrez.

Sinopsis: El coronel Zeta se convierte en la causa y objetivo de un combate pasional entre dos mujeres: *La Cucaracha,* tan vigorosa como embrutecida, y la delicada Isabel. *La Cucaracha* ha sido amante de todos los generales de la Revolución pero por Zeta siente una atracción especial. Él también se interesa por ella y llega a dominarla como hasta entonces no ha sido capaz ningún hombre. Todo va bien hasta que el coronel advierte la presencia de Isabel, viuda de un maestro. Rechazada, *La Cucaracha* se convierte en la amante del lugarteniente Trinidad, para esconder su sufrimiento al ver cómo Zeta se muestra cada vez más considerado con Isabel. *La Cucaracha* observa de cerca, y carcomida por los celos importuna a Isabel siempre que tiene ocasión. Ni siquiera su cambio de imagen, ahora metamorfoseada en una hermosa mujer, logra que Zeta pose sus ojos sobre ella, cada vez más entregado a Isabel, que le corresponde plácidamente, convirtiéndose, a su vez, en la mujer peleona que ha dejado de ser *La Cucaracha*.

La Cucaracha abandona la lucha para alumbrar un hijo de Zeta.

Título: *Flor de mayo.*

Producción: Cinematográfica Latino Americana-Moctezuma Films (México, 1957).
Dirección: Roberto Gavaldón.
Guión: Libertad Blasco Ibáñez, Íñigo de Martino, Julián Silvera y Edwin Blum (adaptación de la novela de Vicente Blasco Ibáñez).
Fotografía: Gabriel Figueroa.
Música: Gustavo César Carrión.
Escenografía: Manuel Fontanals.
Duración: 100 minutos.

Intérpretes: María Félix (Magdalena), Jack Palance (Jim Gatsby), Pedro Armendáriz (Pepe Gamboa), Juanito Múzquiz (Pepito), Carlos Montalbán (Nacho), Domingo Soler (cura), Paul Stewart (Pendergast), Jorge Martínez de Hoyos (Rafael Ortega) y Emma Roldán (Carmela, criada).

Sinopsis: Jim llega a Topolobampo y encuentra a su viejo amigo Pepe, un marino con la vida prácticamente resuelta, porque ahora es el propietario de un barco camaronero, se ha casado con Magdalena y es padre de un hijo, al que todos conocen por Pepito. Jim propone un negocio a Pepe, pero su socio Nacho le alerta de que se trata de contrabando. Pepe no le cree, a pesar de que ya estuvo en la cárcel en el pasado por culpa de Jim. Precisamente entonces, él y Magdalena se hicieron amantes y concibieron a Pepito.

Título: *Faustina.*

Producción: CHAPALO Films para Suevia Fims (España, 1957).
Dirección: José Luis Sáenz de Heredia.
Guión: José Luis Sáenz de Heredia (inspirado en «Fausto», de Goethe).
Fotografía: Alfredo Fraile.
Música: Juan Quintero.
Escenografía: Ramiro Gómez y Félix Michelena.
Duración: 101 minutos.

Intérpretes: María Félix (Faustina), Fernando Fernán Gómez (Mogón), Conrado San Martín (capitán Valentín), Fernando Rey, Elisa Montes, José Isbert, Tony Leblanc, Juan de Landa, Tomás Blanco, Santiago Ontañón, Xan das Bolas, Guillermo Marín, Julio San Juan, Carlos Martínez Campos, Ricardo Canales, Margot Prieto, Rosa Valero, Rafael Bardem, Matilde Muñoz Sampedro, Francisco Bernal, José Ramón Giner, Miguel Gómez, Manuel Guitián, Domingo Rivas, Pablo Álvarez Rubio, Erasmo Pascual, Santiago Rivero, Ramón Elías, Joaquín Roa, Ángel Álvarez, Teófilo Palou, Aníbal Vela, Antonio Casas y José Luis Sáenz de Heredia.

Sinopsis: Estamos ante el mito de Fausto visto a través del ingenio del realizador español José Luis Sáenz de Heredia, protagonizado por una mujer, no encarnando al diablo, como es habitual, sino a Fausto. Gracias a un diálogo punzante, la trama nos muestra una entretenida exposición del tira y afloja entre Mogón y Faustina; es decir, entre el diablo y una mujer.

Título: *Miercoles de ceniza.*

Producción: Filmex (México, 1958).
Dirección: Roberto Gavaldón.
Guión: Luis G. Basurto; adaptación: Julio Alejandro de Castro y Roberto Gavaldón.
Fotografía: Agustín Martínez Solares.
Música: Antonio Díaz Conde.
Escenografía: Jorge Fernández.
Duración: 85 minutos.

Intérpretes: María Félix (Victoria Rivas), Arturo de Córdova (doctor Federico Lamadrid), Víctor Junco (José Antonio), Rodolfo Landa (el violador), Andrea Palma (Rosa), María Rivas (Silvia), David Reynoso (coronel Enrique), Arturo Soto Rangel (notario), Cuco Sánchez (soldado cantante) y Carlos Fernández.

Sinopsis: Es miércoles de ceniza y Victoria sale a dar un paseo en su barca por el lago de Pátzcuaro, cuando sufre un vahído y se accidenta. Un hombre la ayuda primero para después abusar de ella. Victoria va a la iglesia a recoger las cenizas y reconoce en el cura a su violador. Desencantada de todo, decide dar un giro a su vida y abre un burdel en la ciudad.

En un tren conoce a Federico y cuando ambos sufren un ataque de los rebeldes, él le entrega un libro con una lista de nombres comprometedores para que los soldados no se la encuentren.
Victoria organiza una cena de cumpleaños para su querida amiga Elvira, responsable de su prostíbulo, y Federico está invitado, aunque finalmente no acude. Tras la decepción, Victoria se ilusiona pensando que no había podido ir porque le han dicho que está detenido. Va a verle a la cárcel, y aunque en ocasiones ha trabajado como espía para el Gobierno, en esta ocasión ella no le ha delatado y la lista está segura en su casa.
Victoria espera ansiosa a que vaya a buscarla cuando le liberen, y así sucede. Entonces se descubre que él es un cura, después de tantas veces como ella ha manifestado su animadversión hacia el clero. Aun así, Victoria se insinúa e intenta provocarle con un escote vertiginoso, pero no consigue retenerle.

Título: *Café Colón.*

Producción: Filmadora Chapultepec (México, 1958).
Dirección: Benito Alazraqui.
Guión: Rafael F. Muñoz y Eduardo Galindo.
Fotografía: Gabriel Figueroa.
Música: Manuel Esperón.
Escenografía: Manuel Fontanals.
Duración: 80 minutos.

Intérpretes: María Félix (Mónica), Pedro Armendáriz (general Sebastián Robles), Jorge Martínez de Hoyos (coronel Simón Sánchez), Francisco Jambrina (Arturo Noriega) y Luis Beristáin (general Gumaro Valencia).

Sinopsis: El general Sebastián, cabecilla de los zapatistas, instala su cuartel general en el Café Colón, donde trabaja Mónica como cantante. Ésta, despechada porque su novio, el general Gumaro, abandonó la ciudad con sus tropas la víspera de su boda, y ansiosa de poseer unas joyas que los zapatistas han requisado a los federales antes de huir, decide conquistar a Sebastián.

Cuando el general rebelde ya está perdidamente enamorado de ella y quiere regalarle una joya, vuelve Gumaro para recuperar el botín y su novia. Intentando pasar inadvertido, Gumaro se presenta en la localidad vestido de civil y, para salvarle la vida, Mónica engaña a Sebastián diciéndole que es su tío. Pero para entonces ella también ama a Sebastián, y ya no le interesan las joyas. Entonces confiesa la verdad al zapatista.

La pareja decide casarse, pero las alhajas desaparecen y Sebastián acusa a Mónica de haberlas robado. La mujer descubre al verdadero culpable: Simón, lugarteniente de Sebastián, que pretende utilizar su tesoro como moneda de canje para tener a Mónica. Ella acepta, pero no sin hablar con Sebastián para tenderle una emboscada y que la verdad salga a la luz.

Título: *La estrella vacía.*

Producción: Producciones Corsa (México, 1958).
Dirección: Emilio Gómez Muriel.
Guión: Julio Alejandro y Emilio Gómez Muriel (basada en la novela de Luis Spota).
Fotografía: Gabriel Figueroa.
Música: Gustavo César Carrión.
Escenografía: Jesús Bracho.
Duración: 100 minutos.

Intérpretes: María Félix (Olga Lang), Tito Junco (Edmundo), Carlos López Moctezuma (licenciado Federico Guillén), Enrique Rambal (Rodrigo Lemus), Ignacio López Tarso (Luis Arvide), Carlos Navarro (Rolando Vidal), Rita Macedo (Teresa), Wolf Ruvinskis (Tomás Téllez) y José Luis Jiménez.

Sinopsis: La trágica noticia de la desaparición de la famosa actriz Olga Lang reúne a quienes la sufrieron con el propósito de recordar todas sus vilezas. Cuanto más triunfaba más despiadado, destructor y déspota era su comportamiento. En su vida se fue quedando sola y únicamente la querían quienes la buscaban como un trofeo. La estrella vacía era una mujer sin alma, porque se la entregó al diablo a cambio de éxito y riqueza.

Título: *Sonatas (aventuras del marqués de Bradomín).*

Producción: Producciones Barbachano Ponce-UNINCI (México-España, 1959).
Dirección: Juan Antonio Bardem.
Guión: Juan Antonio Bardem (sobre la novela de Valle-Inclán).
Fotografía: Gabriel Figueroa y Cecilio Paniagua.
Música: Luis Hernández Bretón e Isidro Maiztegui.
Escenografía: Gunther Gerzso y Francisco Canet.
Duración: 115 minutos.

Intérpretes: Francisco Rabal (marqués Javier de Bradomín), Fernando Rey (capitán Casares); primer episodio: Aurora Bautista (Concha), Carlos Casaravilla (conde de Brandeso), Nela Conjiú (joven loca), Manuel Alesandre (teniente Andrade), Rafael Bardem (Juan Manuel Montenegro); segundo episodio: María Félix (Niña Chole), Carlos Rivas (Juan Guzmán), Ignacio López Tarso (jefe de guerrilleros), Enrique Lucero (militar prisionero) y David Reynoso (teniente Elizondo).

Sinopsis: Durante el otoño gallego de 1824, el marqués de Bradomín espera ser colgado por los guerrilleros liberales. Rescatado por el capitán Casares, corre para ver a su enamorada Concha, esposa del conde Brandesco, y planear su fuga a México. Cuando están a punto de embarcarse llega Brandesco y mata a su mujer. Bradomín huye solo, pero encontrará el exotismo de la Niña Chole, amante del general conservador Bermúdez, por lo que el marqués será detenido cuando inicie su cortejo. Chole le ayuda a escapar, pero ella tiene miedo y decide reunirse con Brandesco antes de seguir los pasos de su amado. Bradomín se lo impide y la hace suya. Ahora deberán escapar juntos.

Título: *Los ambiciosos.* / **Título original:** *La fiébre monte á El Pao.*

Producción: Filmex-Films Borderie (México-Francia, 1959).
Dirección: Luis Buñuel.
Guión: Luis Buñuel, Luis Alcoriza, Louis Sapin, Charles Dorat y Henry Castillou (adaptación de la novela homónima de Henry Castillou).
Fotografía: Gabriel Figueroa.
Música: Paul Misraki.
Escenografía: Jorge Fernández.
Duración: 97 minutos.

Intérpretes: Gérard Philipe (Ramón Vázquez), María Félix (Inés Rojas), Jean Servais (Alejandro Gual), Víctor Junco (Indarte), Roberto Cañedo (coronel Olivares), Andrés Soler (Carlos Barreiro), Domingo Soler (Juan Cárdenas), David Reynoso (capitán Real), Raúl Dantés y Miguel Ángel Férriz.

Sinopsis: La acción recae en una población sudamericana en la que está implantada una temible dictadura. El asesinato del cruel gobernador del penal de El Pao desata la represión de los presos y una serie de intrigas políticas. El idealista Ramón Vázquez, secretario del gobernador asesinado, lucha contra su conciencia mientras es arrastrado a la pasión por Inés, la viuda del déspota.

Título: *Juana Gallo.*

Producción: Producciones Zacarías (México, 1960).
Dirección: Miguel Zacarías.
Guión: Miguel Zacarías.
Fotografía: Gabriel Figueroa.
Música: Manuel Esperón.
Escenografía: Manuel Fontanals.
Duración: 108 minutos.

Intérpretes: María Félix (Ángela Ramos/Juana Gallo), Jorge Mistral (capitán Guillermo Velarde), Luis Aguilar (coronel Arturo Ceballos Rico), Ignacio López Tarso (Pioquinto), Cristhiane Martel (Niñón), Rita Macedo (mujer famélica), René Cardona (capitán Esquivel) y Noé Murayama (coronel Ordóñez).

Sinopsis: El padre y el novio de Ángela son fusilados por negarse a servir al tirano Huerta. Ángela se indigna y toma las armas, convirtiéndose en la cabecilla de los campesinos insurrectos y de los federales condenados, al impedir que éstos sean fusilados. El capitán Guillermo es el único de los combatientes que, fiel a su causa y a sus obligaciones, rehúsa unirse a ella y prefiere antes la muerte. Ella piensa que ésa fue la misma actitud adoptada por su padre y su novio, y le deja escapar.

Entonces llega el coronel revolucionario Arturo, que ofrece a Ángela unir sus fuerzas y algo más, pero ella se había enamorado de Guillermo, que favorecerá su lucha comprendiendo las causas justas de la Revolución e inculcándoselas a sus soldados. Durante una batalla Ángela resulta herida de un disparo en la pierna y Guillermo la cura en un refugio secreto situado en una hacienda. Ella soporta sin pestañear que le extraiga la bala con un cuchillo al rojo vivo. Exhausta y con fiebre, se queda dormida, y Guillermo se acuesta a su lado. Mientras los federales toman la hacienda ellos se aman a escondidas. Finalizado el acto, Guillermo sale de su escondite y armado con una metralleta ataca a los suyos apoyando a las tropas de Arturo, que atacan desde el exterior.
El éxito convierte a Arturo en coronel y a Guillermo en mayor, pero la lucha no ha concluido. En la gran batalla de Zacatecas, Arturo es herido de muerte y, agonizante, pide a Ángela que le conceda un único beso. Cuando ella se lo da, les sorprende Guillermo, que se marcha desolado y sin volver la vista atrás. Al terminar el enfrentamiento, con la victoria revolucionaria, Ángela se entera de la muerte de su amado y llora junto a su sepultura.

Título: *La bandida.*

Producción: Películas Rodríguez (México, 1962).
Dirección: Roberto Rodríguez.
Guión: Rafael García Travesí y Roberto Rodríguez.
Fotografía: Rosalío Solano.
Música: Raúl Lavista.
Duración: 105 minutos.

Intérpretes: María Félix (María Mendoza, la Bandida), Pedro Armendáriz (Roberto Herrera), Ignacio López Tarso (Anselmo),

Emilio Fernández (Epigmenio Gómez), Katy Jurado (la Jarocha), Lola Beltrán (cantante de Palenque), Andrés Soler (doctor), Marco Antonio Muñiz (Gonzalo), René Cardona (general Robles), José Chávez y Gina Romand.

Sinopsis: Dos generales revolucionarios, Roberto Herrera y Epigmenio Gómez, el primero villista y el otro zapatista, son oponentes y rivales en el campo de batalla. Tras la orden de pacificación del presidente Madero, una mujer volverá a enfrentarles en el terreno amoroso, porque María «la bandida» es la querida de Roberto, pero éste la descubre en plena traición y mata a su amante. Ella vuelve al burdel de donde salió y los avatares de la vida le conceden la propiedad del antro.
Poco tiempo después, los tres protagonistas de la historia se encontrarán en una pelea de gallos. María, decidida a provocar los celos en Roberto, coquetea con Epigmenio, y el villista, que no puede soportar que su gallo haya perdido ante el de su detestable rival y que su ex amante se vaya con él, inicia una persecución implacable.

Título: *Si yo fuera millonario.* / **Título original:** *Soy millonario.*

Producción: Filmex (México, 1962).
Dirección: Julián Soler.
Guión: Fernando Josseau, Raúl Zenteno, José María Fernández Unsaín y Carlos León.
Fotografía: Agustín Martínez Solares.
Música: Manuel Esperón.
Escenografía: Jorge Fernández.
Duración: 95 minutos.

Intérpretes: María Félix, Amador Bendayán, Teresa Velásquez, Enrique Rambal, Miguel Aceves, Antonio Aguilar, César Costa, Lorena Velásquez y David Reynoso.

Sinopsis: El multimillonario español Johny Belíndez agoniza en Nueva York. El comité de accionistas de su empresa determina que debe impedir a cualquier precio que su único pariente, un cómico venezolano llamado Ugolino, cobre la herencia de cincuenta millones de dólares.

Título: *Amor y sexo.* / **Título original:** *Safo.*

Producción: Filmes (México, 1963).
Dirección: Luis Alcoriza.
Guión: Fernando Galiana y Julio Porter (inspirada en la novela «Safo», de Alphonse Daudet).
Fotografía: Rosalío Solano.
Música: Sergio Guerrero.
Escenografía: Jorge Fernández.
Duración: 105 minutos.

Intérpretes: María Félix (Diana), Julio Alemán (Raúl Solana), Julio Aldama (Mauricio), Augusto Benedico (Carlos), José Gálvez (licenciado Miguel Gaudal), Laura Garcés (Laura) y Fernando Luján (Gallina, interno).

Sinopsis: El doctor Raúl Solana está a punto de operar al hijo de Matilde, criada de la adinerada Diana. Tras la intervención, la rica insolente ofrece una compensación económica al médico, pero éste irá a devolverle el dinero porque al final el niño no se salva. Cuando Raúl va a entregar la gratificación, encuentra que en la mansión se celebra una fiesta. Diana le recibe muy cariñosa y le besa ente la mirada desolada de su amante, Carlos. Raúl ya no podrá escapar a los encantos de aquella poderosa mujer y ella se rendirá al amor por primera vez en su vida, a pesar de haber dejado un reguero de amantes aniquilados tras ella. Como si de justicia divina se tratara, pronto se inmiscuirán entre ellos las vilezas del pasado, arruinando la felicidad de la pareja.

Título: *La Valentina.*

Producción: Cima Films (México, 1965).
Dirección: Rogelio A. González.
Guión: José María Fernández Unsaín, Gregorio Walerstein y Eulalio González.
Fotografía: Rosalío Solano.
Música: Manuel Esperón.

Intérpretes: María Félix (Valentina Zúñiga), Eulalio González (Genovevo Cruz), José Elías Moreno y José Venegas.

Sinopsis: El argumento de este título está concebido como un sainete revolucionario. Valentina enviuda la noche de bodas y luego vive una aventura con un contrabandista.

Título: *La generala.*

Producción: Clasa Films (México, 1970)
Dirección: Juan Ibáñez.
Duración: 100 minutos.

Intérpretes: María Félix (Mariana), Ignacio López Tarso, Carlos Bracho (Manuel Sanpedro), Óscar Chávez (mendigo ciego), Ernesto Gómez, Evangelina (Raquel), Sergio Jiménez, Sergio Kleiner y Tarsoy Santanón.

Sinopsis: Durante la Revolución mexicana, una dura y rica terrateniente es golpeada por la violencia del momento, perdiendo sus propiedades. Se enamora de un líder revolucionario, que será asesinado brutalmente por un federal sádico y corrupto. Entonces ella hace de la revuelta su bandera y dirige una multitud para combatir en el seno de una impresionante destrucción.

Índice

Títulos publicados en esta colección

Emiliano Zapata
Juan Gallardo Muñoz

Moctezuma
Juan Gallardo Muñoz

Pancho Villa
Francisco Caudet

Benito Juárez
Francisco Caudet

Mario Moreno "Cantinflas"
Cristina Gómez
Inmaculada Sicilia

J. María Morelos
Alfonso Hurtado

María Félix
Helena R. Olmo

Agustín Lara
Luis Carlos Buraya

Porfirio Díaz
Raul Pérez López-Portillo

José Clemente Orozco
Raul Pérez López-Portillo

Agustín de Iturbide
Francisco Caudet

Miguel Hidalgo
Maite Hernández

Diego Rivera
Juan Gallardo Muñoz

Dolores del Río
Cinta Franco Dunn

Francisco Madero
Raul Pérez López-Portillo

David A. Siqueiros
Maite Hernández

Lázaro Cárdenas
Raul Pérez López-Portillo

Emilio "Indio" Fernández
Javier Cuesta

San Juan Diego
Juan Gallardo Muñoz

Frida Kahlo
Araceli Martínez

Octavio Paz
Juan Gallardo Muñoz

Anthony Quinn
Miguel Juan Payán
Silvia García Pérez

SALMA HAYEK
Vicente Fernández

SOR JUANA INÉS DE LA CRUZ
Juan M. Galaviz

JOSÉ VASCONCELOS
Juan Gallardo Muñoz

VICENTE GUERRERO
Jorge Armendariz

GUADALUPE VICTORIA
Francisco Caudet

JORGE NEGRETE
Luis Carlos Buraya

NEZAHUALCOYOTL
Tania Mena

IGNACIO ZARAGOZA
Alfonso Hurtado